Hernandes Dias Lopes

ZACARIAS
O apocalipse do Antigo Testamento

© 2020 por Hernandes Dias Lopes

1ª edição: maio de 2020
2ª reimpressão: agosto de 2021

Revisão
Andréa Filatro
Josemar de Souza Pinto

Diagramação
Cátia Soderi

Capa
Equipe Hagnos

Editor
Aldo Menezes

Coordenador de produção
Mauro Terrengui

Impressão e acabamento
Imprensa da Fé

As opiniões, as interpretações e os conceitos emitidos nesta obra são de responsabilidade dos autores e não refletem necessariamente o ponto de vista da Hagnos.

Todos os direitos desta edição reservados à
Editora Hagnos Ltda.
Av. Jacinto Júlio, 27
04815-160 — São Paulo, SP
Tel.: (11) 5668-5668

E-mail: hagnos@hagnos.com.br
Home page: www.hagnos.com.br

Editora associada à:

Dados Internacionais de Catalogação na Publicação (CIP)
Angélica Ilacqua CRB-8/7057

Lopes, Hernandes Dias

Zacarias: o apocalipse do Antigo Testamento/ Hernandes Dias Lopes — São Paulo: Hagnos, 2020. (Comentários Expositivos Hagnos)

ISBN 978-65-86048-01-8

1. Bíblia AT Zacarias 2. Deus 3. Apocalipse 4. Messsias I. Título

20-1506   CDD 262.7

Índices para catálogo sistemático:
1. Bíblia AT - Zacarias 226.7

Dedicatória

DEDICO ESTE LIVRO ao nosso neto amado, Bento Recco Lopes, filho de Thiago e Renata. Ele é filho da promessa, presente de Deus, alvo do nosso amor e orações. Que ele cresça para a glória de Deus. Que seja um vaso de honra nas mãos do Senhor!

Sumário

Prefácio	7
1. Uma introdução ao livro de Zacarias	9
2. Um chamado ao arrependimento *(Zc 1.1-6)*	23
3. A primeira visão: Uma patrulha dos cavaleiros celestiais *(Zc 1.7-17)*	35
4. A segunda visão: O levantamento e a queda dos inimigos do povo de Deus *(Zc 1.18-21)*	47
5. A terceira visão: A igreja de Deus, uma cidade sem muros *(Zc 2.1-13)*	55
6. A quarta visão: Restauração, uma obra divina *(Zc 3.1-10)*	67
7. A quinta visão: Revestimento de poder para fazer a obra de Deus *(Zc 4.1-14)*	83
8. A sexta visão: A malignidade do pecado e sua punição *(Zc 5.1-4)*	95
9. A sétima visão: A remoção do pecado *(Zc 5.5-11)*	107
10. A oitava visão: O juízo de Deus sobre as nações opressoras *(Zc 6.1-8)*	117
11. A coroação do Messias *(Zc 6.9-15)*	129
12. O jejum que agrada a Deus *(Zc 7.1-14)*	141

13. O futuro glorioso do povo de Deus 153
(Zc 8.1-23)

14. Julgamento e livramento 167
(Zc 9.1-17)

15. O Pastor divino 189
(Zc 10.1-5)

16. Deus, o Salvador do Seu povo 201
(Zc 10.6-12)

17. O Pastor de Israel 209
(Zc 11.1-17)

18. A vitória sobre os inimigos e o arrependimento
do povo de Deus 225
(Zc 12.1-14)

19. A fonte aberta da purificação 241
(Zc 13.1-6)

20. O Pastor ferido, as ovelhas dispersas
e a fornalha purificadora 253
(Zc 13.7-9)

21. A segunda vinda do Messias e Seu reino de glória 263
(Zc 14.1-11)

22. A queda dos inimigos de Deus e a exaltação
do Seu povo 277
(Zc 14.12-21)

Prefácio

Zacarias, com 14 capítulos e 211 versículos, é o livro mais apocalíptico, messiânico e escatológico do Antigo Testamento. Há mais profecias messiânicas nesse livro do que em todos os outros profetas menores juntos. Só por essa razão, o estudo desse livro já constitui uma necessidade imperativa e ao mesmo tempo um desafio enorme.

Preciso também reconhecer, com humildade, que esse é um dos livros mais complexos de toda a Bíblia. Muitos eruditos confessaram sua dificuldade em compreender a sua mensagem. O próprio reformador Martinho Lutero, quando chegou ao capítulo 14, confessou:

"Aqui eu desisto, pois não tenho certeza do que o profeta está falando".

Não obstante o livro ter um alto teor figurado, com oito visões e muitas profecias escatológicas, sua mensagem é clara, oportuna e desafiadora para a nossa geração. A mensagem do livro confronta os acomodados e consola os abatidos. Derruba os soberbos e levanta os humildes. Deita por terra os altivos e alça às alturas excelsas os de coração quebrantado. Outrossim, a ênfase na pessoa, obra, paixão, morte, ressurreição e segunda vinda de Cristo é destacadamente notória nesse livro. Zacarias apresenta com vívida clareza tanto a humilhação como a exaltação de Cristo, o nosso glorioso Redentor.

O livro apresenta, outrossim, com diáfana clareza, a soberania de Deus na história. É Ele quem levanta reinos e abate reinos. É Ele quem disciplina Seu povo e o restaura. É Ele quem tem as rédeas da história em Suas onipotentes mãos. É Ele quem consumará a história, com a vitoriosa vinda do Messias, para julgar as nações e estabelecer o Seu reino de glória e santidade.

Que o estudo desse livro inflame seu coração como aqueceu o meu enquanto eu laborava na escrita desta obra.

Hernandes Dias Lopes

Capítulo 1

Uma introdução ao livro de Zacarias

ZACARIAS É UM JOVEM PROFETA pós--exílico, contemporâneo do já idoso profeta Ageu. Cerca de 29 diferentes pessoas do Antigo Testamento tinham esse nome.[1] Dos doze profetas menores, Zacarias é o mais longo e também o mais enigmático. Podemos chamar Ageu e Zacarias de "os profetas da restauração". O ministério dos dois é confirmado em Esdras 5.1,2. Neemias diz que Ido, o avô de Zacarias, foi um dos sacerdotes que voltaram da Babilônia (Ne 12.16).

Esdras 5.1,2 registra que Zacarias era filho de Ido, e Zacarias 1.1 informa que ele era filho de Baraquias, filho de Ido. Os críticos das Escrituras dizem que há aqui uma contradição. Porém, essa contradição é apenas aparente. Para aqueles que tentam encontrar um conflito entre Esdras 5.1,2 e Zacarias 1.1, destacamos que há vários exemplos no Antigo Testamento em que os homens são chamados de filhos de seus avôs (Gn 29.5; 24.47; 1Rs 19.16; 2Rs 14.20). No caso de Zacarias, fica claro que Ido era o chefe de sua família quando saiu da Babilônia e se estabeleceu novamente em Jerusalém, por ordem de Ciro (Ne 12.4). Fica evidente, ainda, que Zacarias deveria ser criança quando retornou da Babilônia para Jerusalém, e ainda era jovem quando começou sua profecia em 520 a.C., no segundo ano de Dario (1.1). A primeira fase de seu ministério durou até o nono mês do quarto ano do reinado do rei Dario, ou seja, até dezembro de 518 a.C. (7.1).[2]

Por ser de família sacerdotal, Zacarias fazia parte da família de Arão. Esse fato certamente lhe dava uma vantagem importante em seu ministério, uma vez que os profetas, não raro, precisavam confrontar os sacerdotes quando estes deixavam de ser fiéis no exercício de sua vocação. J. Sidlow Baxter destaca que Zacarias, em virtude de sua família, reunia todas as tradições sacerdotais do sacerdócio aarônico, com o fervor e a autoridade de profeta.[3]

Realmente, o fato de Zacarias ser sacerdote e profeta lhe conferia uma influência muito grande. George Robinson sugere que seu nome insinua dotes especiais, pois significa, em hebraico, "aquele de quem Javé se recorda ou se lembra".[4] Isaltino Gomes acrescenta o fato de que o pai do profeta se chamava Berequias, que significa "Javé abençoa". Seu avô se chamava Ido, que significa "tempo marcado". Juntando os nomes dos três, podemos ter uma indicação da mensagem de Zacarias: "Javé não esquecerá as promessas da aliança para abençoar Israel no tempo marcado".[5] É disso que o livro de Zacarias trata.

Gilberto Gorgulho explica que o nome de Zacarias, "Javé se lembra", é uma espécie de programa. Indica a necessidade de discernir a ação da Palavra de Deus e do Espírito que vem libertar os exilados (1.6; 6.8), porque Deus se lembra de Seu povo e de Sua aliança (Jr 31.19-30).[6] Carlos Osvaldo Cardoso Pinto faz coro aos já citados escritores quando aponta: "O nome de Zacarias transmite aos leitores israelitas a esperança de que, apesar dos frequentes deslizes da nação, o Deus fiel à aliança se lembrará (= cumprirá) das promessas feitas no passado".[7]

A partir do período pós-exílico até a diáspora, com a destruição de Jerusalém no ano 70 d.C., o sacerdócio tomou a liderança da nação. Quanto ao governo, a história do povo de Israel pode ser dividida em três períodos principais. Primeiro, de Moisés a Samuel, temos Israel sob os juízes. Segundo, de Saul a Zedequias, temos Israel sob os reis. E, terceiro, da repatriação do "remanescente" até a destruição de Jerusalém, temos Israel sob os sacerdotes.[8]

O profeta Ageu era mais velho, e Zacarias, mais jovem (Zc 2.4; Ag 2.3), mas ambos realizaram um trabalho complementar na reconstrução física e espiritual do templo. O estilo desses dois homens de Deus era bem diferente. Ageu era mais prático e direto, enquanto Zacarias tinha um estilo mais idealista e visionário.[9] J. Sidlow Baxter chega a dizer que o pequeno livro de Ageu poderia representar quase uma introdução à obra mais longa de Zacarias.[10]

Se Ageu lidou primordialmente com a reconstrução do templo de Jerusalém, Zacarias enfatizou especialmente a restauração espiritual do povo que retornou do exílio. Andrew Hill diz que, se a tarefa de Ageu foi exortar o povo à reconstrução do templo, a tarefa de Zacarias foi preparar o povo para a adoração verdadeira no templo. Ageu trabalhou com a reconstrução física do templo, e Zacarias, com a restauração espiritual do povo (1.3-6; 7.8-14).[11]

A profecia de Zacarias foi a mais citada pelos evangelistas na descrição do sofrimento do Messias e também a mais citada pelo apóstolo João no livro de Apocalipse. Dionísio Pape destaca que nenhum dos doze profetas menores oferece tantas profecias detalhadas sobre o futuro Messias como Zacarias. Ele prometeu um Messias que seria o bom Pastor, traído por trinta moedas de prata e rejeitado por Israel. Este se tornaria fonte para a purificação de pecados e seria morto pela permissão do Pai, a fim de receber um reino eterno.[12]

Destacamos doravante alguns pontos importantes a respeito do livro.

O autor

Como já deixamos claro, Zacarias era profeta e sacerdote. Ele veio da Babilônia para Jerusalém, na primeira leva de judeus, sob a liderança de Zorobabel e com seu avô Ido (Ne 12.16). Como destacado, há uma aparente discrepância entre o registro de Zacarias 1.1 e o de Esdras 5.1,2 e 6.14. No livro de Esdras, Zacarias é chamado de filho de Ido, porém no livro de Zacarias ele é chamado de filho de Berequias, filho de Ido. Como resolver esse aparente conflito? J. G. Baldwin diz que a explicação mais simples para essa divergência é que o autor de Esdras omitiu uma geração e usou a expressão "filho de" em vez de "neto de", o que não é raro no Antigo Testamento.[13] O mesmo autor ainda esclarece: "Zacarias 1.1,7 menciona pai e avô, enquanto Esdras cita somente o avô, mais conhecido. Esdras omite o nome do pai, enquanto Zacarias 1.1,7 põe a genealogia completa".[14]

Uma introdução ao livro de Zacarias

William Greathouse corrobora a ideia dizendo que essa discrepância é mais aparente que real. É facilmente explicada quando se considera que Berequias morreu antes de Ido e Zacarias sucedeu seu avô na chefia da ordem sacerdotal de Davi. O fato de Esdras referir-se a Zacarias como filho de Ido deve ser entendido no sentido geral de descendente.[15]

A erudição bíblica está dividida entre aqueles que defendem a unidade do livro e aqueles que colocam os capítulos 9—14 numa data posterior, pós-alexandrina, dada a menção da Grécia (9.13). Defendo, porém, a visão conservadora da unidade do livro e evoco as palavras de Collins, quando escreve:

> Nos capítulos 1—8, o profeta preocupa-se primariamente com os acontecimentos contemporâneos, particularmente com a reconstrução do Templo; ao passo que, nos capítulos 9—14, lida com os acontecimentos futuros, como a vinda do Messias e a glória de seu reinado. Por conseguinte, é natural que a primeira divisão seja de estilo histórico, enquanto a última, de estilo profético-apocalíptico. Outrossim, é provável que a primeira parte da profecia pertença à vida do jovem Zacarias, e a segunda à sua idade avançada.[16]

Nessa mesma toada, Bill Arnold diz que a Grécia estava tornando-se uma potência durante os tempos de Zacarias, especialmente quando ele já tinha mais idade. Talvez Zacarias tenha escrito os capítulos 9—14 quando já era mais velho. Também não devemos excluir a possibilidade de uma profecia de previsão. Deus sabe o futuro e pode revelá-lo aos Seus profetas.[17]

Nada sabemos sobre os anos restantes da vida ou do ministério do profeta Zacarias, a não ser a declaração de Jesus de que ele foi morto *entre o santuário e o altar* (Mt 23.35).

A importância messiânica do livro de Zacarias

Depois de Isaías, Zacarias é o profeta mais messiânico do Antigo Testamento. Andrew Hill chega a dizer que Zacarias pode ser chamado de "pequeno Isaías", uma vez que esse livro tem mais a dizer sobre o messiânico Pastor-Rei do que qualquer outro livro profético do Antigo Testamento, exceto Isaías.[18] George Robinson diz, acertadamente, que não é exagero afirmar que, de todas as composições proféticas do Antigo Testamento, as visões e os oráculos de Zacarias são os mais messiânicos e, por conseguinte, os mais difíceis, porque estão mesclados com muito daquilo que é apocalíptico e escatológico.[19] O Novo Testamento faz cerca de quarenta citações do livro de Zacarias. Charles Feinberg diz que Zacarias tem sido chamado de Apocalipse do Antigo Testamento em razão da presença nele de muitas visões. Ele se estende mais sobre a pessoa e a obra de Cristo do que todos os outros profetas menores juntos.[20]

Jesus viu no livro de Zacarias um sinal do Seu messianismo. Destacamos aqui alguns pontos:

- Entrada em Jerusalém (9.9 — Mt 21.5).
- Vendido por trinta moedas de prata (11.12 — Mt 26.11-15).
- O sangue da nova aliança (9.11 — Mt 26.28; Mc 14.24).
- Paixão de Jesus (13.6 — Mt 26.31).
- Jesus traspassado na cruz (12.10 — Ap 1.7).
- O retorno em glória e a libertação de Israel de seus inimigos (14.1-6 — Mt 25.31).
- Reinado como Rei de paz e justiça (9.9,10; 14.9,16 — Ap 11.15; 19.6).
- Estabelecimento de uma nova ordem mundial (14.6-19 — Ap 21.25; 22.1,5).

O contexto histórico da profecia de Zacarias

Jerusalém, com toda a sua pompa religiosa, caiu nas mãos da Babilônia em 586 a.C., e isso porque não deu ouvidos aos profetas de Deus. Nabucodonosor invadiu a cidade, arrasou-a até os fundamentos, incendiou o templo, derrubou os muros, queimou as portas, passou a fio de espada crianças e velhos e subjugou o povo. Deus executou Seu juízo sobre o Seu povo por seus pecados. O Senhor afligiu o povo da aliança por causa da multidão das suas prevaricações (Jr 1.14-16; Lm 1.1,5). Richard Phillips diz que a queda de Jerusalém permanece como testemunho perpétuo da insensata presunção e das consequências do pecado.[21] Os que foram levados cativos prantearam às margens dos rios da Babilônia (Sl 137.1), e os que não foram levados para o exílio ficaram entregues a grande miséria e desprezo (Ne 1.3).

A profecia de Jeremias apontava para um cativeiro de setenta anos (Jr 29.10-14). Isaías também profetizou, duzentos anos antes, a volta do cativeiro, por ordem de Ciro (Is 45.13). A volta do povo da aliança do cativeiro babilônico para Jerusalém, portanto, foi uma prova incontestável da soberania de Deus na história, que anuncia desde o princípio o que há de acontecer (Is 46.9,10).

Ciro, o persa, foi o imperador que conquistou a Babilônia e ordenou que os judeus retornassem à sua terra (Ed 1.1-4). Ciro foi substituído no trono por seu filho Cambises. Este permaneceu no poder apenas dois anos, e Dario conquistou o trono da Pérsia. Quando Zacarias, em 520 a.C., inicia seu ministério, já é o segundo ano de Dario (1.1). Dario foi um general que tomou o trono persa após uma conspiração que resultou no suposto suicídio de Cambises, filho e sucessor de Ciro, que havia se ausentado, empenhado em sua conquista do Egito. A essa altura, uma comunidade desanimada com a restauração em Jerusalém já afundava espiritual e materialmente.[22] Depois da morte de Dario, seu filho Xerxes I, também chamado de Assuero, governa em seu lugar (486-465 a.C.). Esse rei casa-se com uma jovem judia, chamada Ester. Esta é um poderoso instrumento nas mãos de Deus para poupar o povo judeu de um holocausto. Xerxes foi assassinado em seu próprio quarto por um artesão, e seu filho Artaxerxes reina em seu lugar. Foi no sétimo ano de Artaxerxes que Esdras veio para ensinar a lei ao povo (Ed 7.8), e no vigésimo ano desse rei Neemias é desafiado por Deus a sair de Susã para restaurar os muros da cidade de Jerusalém (Ne 2.1). Embora Flávio Josefo, historiador judeu, tenha dito que Ester havia se casado com Artaxerxes, as evidências provam o contrário, uma vez que foi Xerxes, e não Artaxerxes, seu filho, quem foi também chamado de Assuero.[23]

Kenneth Barker resume esse pano de fundo histórico da seguinte maneira:

A Babilônia caiu nas mãos de Ciro em 539 a.C. Ciro então assinou o edito permitindo a Israel retornar e reconstruir seu templo (2Cr 36.21-23; Ed 1.1-4; 6.3-5). De acordo com o capítulo 2 de Esdras, um grande grupo (de aproximadamente cinquenta mil pessoas) retornou em 538-537 a.C., sob a liderança civil de Zorobabel (governador) e sob a liderança religiosa de Josué (sumo sacerdote). Este grupo lançou o fundamento do templo em 536 a.C. (Ed 3.8-13). Porém, vários obstáculos paralisaram a construção (Ed 4.1-5,24). Durante esses anos de inatividade, Ciro morreu em batalha (529 a.C.); e seu filho Cambises II, que era corregente com Ciro por um ano, reinou em seu lugar (530-522 a.C.). Uma rebelião política levou Dario Histaspes ao trono em 522 a.C. Sua sábia administração e tolerância religiosa criaram um clima favorável para os israelitas completarem a

Uma introdução ao livro de Zacarias

reconstrução do templo. Ele confirmou o decreto de Ciro e autorizou o recomeço das obras que estavam embargadas (Ed 6.6-12; Ag 1.1,2). A construção foi reassumida em 520 a.C. e concluída em 516 a.C.[24]

A pregação de Zacarias aos judeus que retornaram do exílio babilônico ocorreu, portanto, num contexto da grande e completa devastação da cidade de Jerusalém, tensão externa e conflitos internos. Devastação porque a cidade fora arrasada desde os seus fundamentos. A classe rica fora deportada, e ficou na terra a classe mais pobre da população (2Rs 24.14). Não só o povo de Judá fora disperso, mas a terra ficara assolada (7.14), e os inimigos invadiram o território, trazendo mais opressão econômica para o povo de Judá (8.10). O exílio e a devastação deixaram a população da terra de Judá em ruínas (Ne 1.3). No momento da volta do exílio, os grupos começaram a se interessar pelos seus próprios bens, deixando desamparado o templo (Ag 1.6; 2.19).

Vale destacar que os tributos que pesavam sobre o já oprimido povo de Judá ameaçavam a estabilidade econômica das famílias (Ed 6.8-12), levando a população a um severo empobrecimento até o tempo de Neemias (5.1-12). Esse empobrecimento abriu brechas para que indivíduos avarentos, entre o povo, explorassem os próprios irmãos e, com usura, aproveitassem o aperto deles para adquirirem suas terras, suas casas e até mesmo seus filhos.

O estilo do profeta

É consenso entre os eruditos que Zacarias é o mais enigmático dos doze profetas menores. Ele abre seu livro com uma breve seção, chamando o povo ao arrependimento (1.1-6), e depois elenca oito visões que teve numa única noite (1.7—6.15). Em seguida, traz dois capítulos com sermões, com a culminância em 8.20-23. Finalmente, vêm os capítulos 9—14, trazendo uma abordagem apocalíptica e repetindo conceitos que as oito visões também apresentam.

Gordon Fee e Douglas Stuart dizem que a maior parte dos leitores tende a considerar Zacarias uma leitura especialmente árdua, mesmo para os padrões de um livro profético. Isso se deve, sem dúvida, ao caráter altamente simbólico das visões noturnas, sem falar na complexidade habitual dos oráculos escatológicos.[25]

Isaltino Gomes explica que o cenário histórico de Zacarias 9—14 é bem distinto do cenário dos oito primeiros capítulos. Dario I, rei da Pérsia, ou Histaspes (522-486 a.C.), fora derrotado pelas cidades da Grécia na batalha de Maratona, em 490 a.C. Seu filho, Xerxes I (486-465 a.C.), conhecido na Bíblia como Assuero, marido de Ester, numa poderosa investida em 480 a.C., sofreu uma derrota ainda maior em Salamina, nas mãos dos gregos. É nessas circunstâncias que Zacarias escreveu os capítulos 9—14, iniciando com a descrição detalhada de uma invasão grega que tomaria toda a Palestina, excetuando-se Jerusalém, que seria poupada e protegida miraculosamente pelo Senhor (9.1-9). Essa preservação de Jerusalém e o cuidado de Javé por Seu povo é que constituem o pano de fundo da segunda parte, em termos de conteúdo.[26]

Antes de Zacarias, Daniel já havia inaugurado o estilo, porém é em Zacarias que João buscará algumas de suas figuras. Concordo com Isaltino Gomes quando ele diz que, apesar dessa diversidade de estilos, o conteúdo do livro é bem organizado.[27] Nessa mesma linha de pensamento, Dionísio Pape escreve:

Dos doze profetas menores, Zacarias se destaca pelo estilo apocalíptico, e pelas profecias pormenorizadas a respeito do Messias. Usa um vocabulário riquíssimo, e diversos de seus termos apocalípticos foram apropriados pelo apóstolo João no Apocalipse do Novo Testamento; por exemplo: os quatro cavalos, o candelabro de ouro, os sete olhos do Espírito de Deus e os anjos intérpretes. O simbolismo e mensagem de Zacarias prenunciam o recado do Apocalipse de João, a saber, que o triunfo do Senhor na terra é absolutamente certo.[28]

O livro de Zacarias é, também, uma obra-prima musical inigualável, com movimentos mais simples na primeira parte, seguidos de uma estrondosa rapsódia final, com acordes estalando, rápida sucessão de notas e alternações súbitas entre os tons maior e menor e um final triunfante.[29]

A importância doutrinária de Zacarias

Kenneth Barker diz que Zacarias é, provavelmente, o mais messiânico, apocalíptico e escatológico de todos os livros do Antigo Testamento. O profeta preanunciou a primeira vinda de Cristo em humildade (6.12), Sua humanidade (6.12), Sua rejeição e traição por trinta moedas de prata (11.12,13), Seu ser sendo ferido pela espada do Senhor (13.7), Sua divindade (3.4; 13.7), Seu sacerdócio (6.13), Seu reinado (6.13; 9.9; 14.9,16) e Sua segunda vinda em glória (14.4). O livro de Zacarias como um todo ensina a soberania de Deus na história, sobre Seu povo e sobre as nações, no passado, presente e futuro.[30]

Notas

[1] FEINBERG, Charles L. *Os profetas menores*. São Paulo, SP: Vida, 1988, p. 253.

[2] GREATHOUSE, William M. O livro de Zacarias. In: *Comentário bíblico Beacon*. Vol. 5. Rio de Janeiro, RJ: CPAD, 2015, p. 291.

[3] BAXTER, J. Sidlow. *Examinai as Escrituras — Ezequiel a Malaquias*. São Paulo, SP: Vida Nova, 1995, p. 270.

4 ROBINSON, George L. *Los doce profetas menores*. El Paso, TX: Casa Bautista de Publicaciones, 1984, p. 124.

[5] COELHO FILHO, Isaltino Gomes. *Os profetas menores (II)*. Rio de Janeiro, RJ: Juerp, 2002, p. 141.

[6] GORGULHO, Gilberto. *Zacarias*. São Paulo, SP: Fonte Editorial, 2013, p. 13.

[7] PINTO, Carlos Osvaldo Cardoso. *Foco & desenvolvimento do Antigo Testamento*. São Paulo, SP: Hagnos, 2014, p. 785.

[8] BAXTER, J. Sidlow. *Examinai as Escrituras — Ezequiel a Malaquias*, p. 270.

[9] PAPE, Dionísio. *Justiça e esperança para hoje*. São Paulo, SP: ABU, 1983, p. 113.

[10] BAXTER, J. Sidlow. *Examinai as Escrituras — Ezequiel a Malaquias*, p. 269.

[11] HILL, Andrew E. *Haggai, Zachariah and Malachi*. England: Inter-Varsity Press, 2012, p. 106-107.

[12] PAPE, Dionísio. *Justiça e esperança para hoje*, p. 113-114.

[13] BALDWIN, J. G. *Ageu, Zacarias e Malaquias: introdução e comentário*. São Paulo, SP: Vida Nova, 2006, p. 45.

[14] Ibidem, p. 69.

[15] GREATHOUSE, William M. O livro de Zacarias. In: *Comentário bíblico Beacon*, p. 291.

[16] COLLINS, G. N. M. Zechariah. In: *The New Bible commentary*. Grand Rapids, MI: William B. Eerdmans Publishing Company, 1953, p. 748.

[17] ARNOLD, Bill T.; BEYER, Bryan E. *Descobrindo o Antigo Testamento*. São Paulo, SP: Cultura Cristã, 2001, p. 466.

[18] HILL, Andrew E. *Haggai, Zechariah and Malachi,* p. 103.

[19] ROBINSON, George L. *Los doce profetas menores*, p. 125.

Uma introdução ao livro de Zacarias

[20] FEINBERG, Charles L. *Os profetas menores*, p. 254.

[21] PHILLIPS, Richard D. *Zacarias*. São Paulo, SP: Cultura Cristã, 2017, p. 15.

[22] Ibidem, p. 18.

[23] JOSEFO, Flávio. *História dos hebreus*. Rio de Janeiro, RJ: CPAD, 2015, p. 518.

[24] BARKER, Kenneth L. Zechariah. In: *Zondervan NIV Bible Commentary*. Vol. 1. Old Testament. Grand Rapids, MI: Zondervan Publishing House, 1994, p. 1514.

[25] FEE, Gordon; STUART, Douglas. *Como ler a Bíblia livro por livro*. São Paulo, SP: Vida Nova, 2013, p. 304.

[26] COELHO FILHO, Isaltino Gomes. *Os profetas menores (II)*, p. 145.

[27] Ibidem, p. 143.

[28] PAPE, Dionísio. *Justiça e esperança para hoje*, p. 113.

[29] BARKER, Kenneth L. Zechariah. In: *Zondervan NIV Bible Commentary*. Vol. 1. Old Testament. Grand Rapids, MI: Zondervan Publishing House, 1994, p. 1514.

[30] Ibidem, p. 1515.

Capítulo 2

Um chamado ao arrependimento
(Zc 1.1-6)

Os judeus estavam de volta do exílio da Babilônia para Jerusalém, mas não de volta para Deus. Assim como seus pais quebraram a aliança com o Senhor fazendo o que era mal perante Seus olhos e sofreram a amarga disciplina do cativeiro, os que voltaram do exílio estavam seguindo as mesmas pegadas infiéis de seus pais. A casa de Deus estava desamparada. Cada um cuidava apenas de seus interesses. Envoltos em pobreza e cercados de inimigos, estavam rendidos ao total desânimo.

Os que voltaram para sua terra tiveram de começar do zero uma nova caminhada com Deus. Precisaram aprender com os erros de seus pais para não repetirem os mesmos pecados e não sofrerem as mesmas consequências.

A introdução de Zacarias à primeira parte do seu livro (1—8), e por que não dizer a toda a sua obra, é um chamado ao arrependimento. George Robinson diz corretamente que esse chamado ao arrependimento dá a nota tônica do livro inteiro e é um dos chamamentos ao arrependimento mais fortes e mais intensamente espirituais que podem ser encontrados em todo o Antigo Testamento.[1] Richard Phillips é oportuno quando diz que, para tratar do passado, do presente e do futuro, as pessoas precisam voltar-se para Deus. O poder de restaurar o que está em ruínas sempre e somente é possível no Senhor.[2] Zacarias, portanto, desafia o remanescente a voltar-se para Deus à luz da certeza da mesma disciplina divina que seus pais receberam por sua recusa a responder aos alertas proféticos anteriores.[3] William Greathouse é enfático ao escrever: "Se os judeus pós-exílicos fossem como seus pais no pecado, também seriam como eles no castigo".[4]

Destacamos a seguir algumas lições oportunas do texto.

O chamado profético de Zacarias (1.1)

Zacarias é um profeta pós-exílico, contemporâneo de Ageu. Ambos exortaram o povo ao arrependimento. O povo tinha retornado à terra de Judá há mais de vinte anos, mas as promessas de Jeremias e Ezequiel acerca da restauração após o cativeiro babilônico ainda não tinham se cumprido (Jr 31.31-33; 33.14-16; Ez 34.23,24; 37.24-28).

Destacamos a seguir três pontos importantes:

Em primeiro lugar, a procedência genealógica do profeta (1.1). ... *profeta Zacarias, filho de Berequias, filho de Ido*. Como já esclarecemos no primeiro capítulo desta obra,

Zacarias, cujo significado é "Javé se lembra", procedia de uma família sacerdotal. Seu avô Ido era o cabeça dessa família. Seu avô e seu pai retornaram da Babilônia quando Zacarias ainda era muito jovem. Zacarias, assim, é um profeta chamado de dentro de uma família sacerdotal. Tanto falava sobre Deus para o povo como intercedia a Deus em favor do povo.

Em segundo lugar, o tempo do profeta (1.1). *No oitavo mês do segundo ano de Dario...* Tanto Ageu como Zacarias começaram a sua agenda profética no segundo ano do rei Dario (Histaspes), que governou a Pérsia de 522 a 486 a.C. O tempo específico da profecia é aqui mencionado.

Em terceiro lugar, a forma em que o profeta recebeu a profecia (1.1). *... veio a palavra do Senhor ao profeta Zacarias...* Essa era a maneira mais comum como outros profetas recebiam a palavra do Senhor para transmiti-la. Essa frase introdutória é usada no primeiro versículo de Oseias, Joel, Jonas, Miqueias e Sofonias. A mesma frase aparece trinta vezes em Jeremias e cinquenta vezes em Ezequiel.[5] Andrew Hill diz que a fórmula *veio a palavra do Senhor* serve tanto para legitimar o recipiente da divina revelação como para emprestar autoridade à mensagem profética como a revelada palavra de Deus.[6] O profeta não é o dono da mensagem, mas o servo dela. Ele não é a origem da mensagem, mas o seu instrumento. Ele não cria a mensagem; apenas a transmite. A mensagem não é dele, mas de Deus.

A ira extrema do Senhor (1.2)

O Senhor se irou em extremo contra vossos pais (1.2). A enormidade da ira do Senhor pode ser vista na destruição da cidade de Jerusalém e no seu cativeiro durante setenta anos. Zacarias não tem nenhum melindre para tratar da ira de Deus. Ele relembra a seus ouvintes que o cativeiro babilônico foi uma manifestação da ira de Deus contra seus pais, porque eles taparam os ouvidos à voz dos profetas e foram infiéis à sua aliança. Jerusalém foi arrasada, o templo foi destruído e o povo de Judá foi deportado como uma manifestação da ira de Deus. Foi Deus quem entregou Judá nas mãos dos caldeus. Foi Deus quem entregou os vasos do templo nas mãos de Nabucodonosor. Foi Deus quem acionou a vara da disciplina contra o povo da aliança. O pecado do povo da aliança atrai a santa ira de Deus.

Baldwin diz que foi a nação escolhida que mais vezes se viu objeto do desagrado de Deus. A nação escolhida desviou seu rumo totalmente do propósito de Deus. Injustiça social, apostasia e egoísmo se tornaram endêmicos, de maneira que não havia remédio (2Cr 36.15,16). Destruição e exílio foram o resultado da ira do Senhor (Is 6.10; Jr 21.5).[7]

A ira de Deus não é um capricho pecaminoso. Não é fúria desgovernada. É uma santa repulsa contra a rebelião daqueles a quem Ele criou e, sobretudo, daqueles com quem Ele fez uma aliança de amor. O caráter santo e justo de Deus exige que Ele não seja complacente com o mal. Ele não pode deleitar-se naqueles que se insurgem contra Seus preceitos. Ele não tem prazer naqueles que lhe viram rebeldemente as costas e erguem os punhos contra os céus.

Zacarias refresca a memória de seus ouvintes, alertando-os de que seus pais irritaram Deus com seus pecados e sofreram o amargo cativeiro; seria, portanto, consumada insensatez a nova geração não aprender com os erros de seus pais e repetir os mesmos pecados.

Uma convocação urgente à conversão (1.3)

Zacarias relembra a seus ouvintes os pecados do passado para dar mais ênfase à exortação no presente. A história será nossa pedagoga ou nossa coveira. Quando não aprendemos com os erros daqueles que nos precederam, corremos o risco de sermos ainda mais culpados do que eles. A esse respeito, destacamos três pontos.

Em primeiro lugar, uma autoridade absoluta (1.3). *Portanto, dize-lhes: Assim diz o Senhor dos Exércitos... Quem chama o povo da aliança ao arrependimento é o Senhor dos Exércitos, o Deus Todo-poderoso. Esse é o nome característico de Deus em Ageu, Zacarias e Malaquias, ocorrendo mais de oitenta vezes. Resistir à Sua ordem ou contrariar Sua vontade é consumada loucura.

Em segundo lugar, uma ordem expressa (1.3). ... *Tornai-vos para mim, diz o Senhor dos Exércitos...* Eis um eloquente chamado ao arrependimento. George Robinson diz que essa passagem dá a tônica do livro inteiro, pois esse é um dos chamamentos ao arrependimento mais fortes e espirituais de todo o Antigo Testamento.[8] Matthew Henry diz que, antes de anunciar as promessas de misericórdia, Zacarias anunciou as convocações ao arrependimento, pois assim o caminho do Senhor deve ser preparado. A lei deve ser pregada e, então, o evangelho.[9]

O povo da aliança não deveria apenas abandonar o pecado, mas também voltar-se para Deus depois da disciplina. A nova geração era livre para fazer um novo começo. Essa volta deve ser urgente e de todo o coração. Essa volta é para um relacionamento pessoal com Deus. Não basta voltar para Jerusalém; é preciso voltar para o Senhor. A terra da promessa não é a geografia da segurança. A segurança do povo está no Senhor dos Exércitos.

J. G. Baldwin diz que era preciso saber disso, depois da disciplina. A nova geração era livre para fazer um novo começo (Ez 18.14ss); o Senhor estava retornando para eles, apesar de as gerações passadas terem quebrado a aliança.[10] Baldwin ainda destaca que esse convite é feito de maneira mais pessoal: *Tornai-vos para mim*. Não é um retorno apenas à lei ou a uma maneira externa de viver, mas um retorno para uma relação pessoal com Deus, o Deus da aliança.[11]

Richard Phillips diz que Zacarias trata nesse versículo sobre a necessidade do arrependimento e dá uma definição de arrependimento. O arrependimento é necessário porque Deus julga todo pecado. O problema dos ancestrais dos israelitas é que eles duvidaram do juízo de Deus e, portanto, negavam a necessidade de seu arrependimento. Uma vez que eles eram o povo escolhido de Deus e possuíam instituições divinamente estabelecidas, como o templo, achavam que Deus nunca os castigaria. A queda de Jerusalém e o cativeiro babilônico foram a resposta dada por Deus à obstinação do povo em resistir ao arrependimento. Os profetas anteriores estavam mortos, mas Deus estava levantando novos profetas agora, como Ageu e Zacarias, para alertar novamente o povo sobre a necessidade do arrependimento. Mas Zacarias dá também uma definição do que é arrependimento. Arrepender-se significa deixar o pecado e voltar-se para Deus.[12]

Em terceiro lugar, uma promessa segura (1.3). ... *e eu me tornarei para vós outros, diz o Senhor dos Exércitos*. Depois de falar sobre a necessidade do arrependimento e apresentar uma definição do que é arrependimento, agora Zacarias dá um grande incentivo ao arrependimento, a saber, que, não importa quão graves sejam os nossos pecados e o nosso afastamento, Deus está pronto para receber aqueles que se

Um chamado ao arrependimento

voltam para Ele mediante arrependimento e fé.[13] O mesmo Deus que faz o convite ao povo para voltar-se para Ele garante que fará a Sua parte, voltando-se para o povo. O passado pode ser apagado (Is 44.22), e a intimidade com Deus, restabelecida.[14] O Senhor promete voltar-se para o povo da aliança, se este se voltar para Ele, e garante dar aos exilados que retornaram a chance de um novo começo. Esta é a boa-nova do evangelho: Deus perdoa pecadores e recebe de braços abertos os arrependidos (Lc 15.20-24). Vale destacar que, no versículo 3, o profeta repete três vezes o nome do Senhor dos Exércitos. A autoridade, a ordem e a promessa estão ancoradas no caráter e no poder do Senhor dos Exércitos.

Uma solene exortação (1.4,5)

Repetir os pecados dos pais é uma insensatez. Devemos imitá-los em suas virtudes, porém não devemos ser como eles quando transgridem. Há no texto em tela algumas lições oportunas, que destacamos a seguir.

Em primeiro lugar, precisamos aprender com os erros dos nossos pais (1.4). *Não sejais como vossos pais, a quem clamavam os primeiros profetas, dizendo: Assim diz o Senhor dos Exércitos: Convertei-vos, agora, dos vossos maus caminhos e das vossas más obras; mas não ouviram, nem me atenderam, diz o Senhor.* Uma vez que um mau exemplo é imitado com facilidade, o profeta exorta o povo a não seguir os caminhos de seus antepassados, que não haviam dado ouvidos às palavras e às exortações dos profetas anteriores ao cativeiro.[15]

Os pais ouviram a voz de Deus e desobedeceram. Isaías advertira os líderes de que Deus disciplinaria a nação, se eles não mudassem seus caminhos (Is 2.6–3.26; 5.1-30; 29.1-14). Jeremias reclama várias vezes que falou ao povo, mas eles não deram ouvidos nem atenderam a voz de Deus (Jr 17.23; 6.19; 18.18; 23.18; 36.31). O resultado foi o cerco, o confisco de seus bens, o cativeiro, a perda da liberdade, a morte. Essa mesma realidade pode ser vista, também, no Novo Testamento. Quem persiste no pecado colherá desastre para sua vida (Gl 6.7,8). Se Deus castiga o Seu próprio povo, não resta nenhuma esperança para aqueles que, arrogantemente, escarnecem de Deus, com seus hediondos pecados.

Imitar os pais em seus pecados é tornar-se duplamente culpado. Precisamos aprender com os erros de nossos pais, para fugirmos do caminho sinuoso da transgressão. Os pais não ouviram a voz de Deus nem atenderam a ela. Os pais não se converteram de seus maus caminhos. Os pais não se converteram de suas más obras. Por isso, os pais não devem ser imitados.

Em segundo lugar, as novas gerações têm a escolha de obedecer à voz de Deus (1.4a). *Não sejais como vossos pais...* O chamado do profeta Jeremias foi completamente desprezado antes do exílio, e o seu lamento frequente foi: *Mas não atenderam* (Jr 17.23; 6.19; 18.18; 23.18) ou *não ouviram* (Jr 6.10,17; 23.18; 29.19; 36.31).[16] Deus oferece agora uma nova oportunidade aos filhos dessa geração rebelde. Eles podem escolher um novo caminho. Não precisam andar nas mesmas veredas sinuosas de seus pais. Andrew Hill diz que Zacarias advertiu seus ouvintes de não repetirem o passado, porque as violações do pacto enviaram a geração de seus pais ao exílio (7.11-14).[17]

Em terceiro lugar, as oportunidades podem ser perdidas para sempre (1.5). *Vossos pais, onde estão eles? E os profetas, acaso, vivem para sempre?* Tanto os pais que ouviram os profetas como os profetas que pregaram para os pais já estavam mortos. Os pais pensaram que as palavras de juízo dos profetas não se cumpririam. Agarraram-se a uma religiosidade formal que essa não pôde livrá-los do cerco dos caldeus, da destruição de Jerusalém e do amargo cativeiro babilônico. Os pais sofreram a consequência inevitável de suas más escolhas e morreram. Os pais ou estavam no cativeiro ou estavam mortos. Os profetas que falaram para eles já não viviam mais para exortar a atual geração, porém a palavra de Deus continuava viva para exortá-los ao arrependimento (1.5a). De acordo com Warren Wiersbe, o que Zacarias deixa claro, portanto, é que a morte dos profetas indicava que a nação havia deixado passar as oportunidades.[18]

Uma volta para Deus (1.6)

Deus sepulta Seus obreiros, mas Sua obra continua. Os profetas morrem, porém a palavra de Deus continua viva. Os profetas não vivem para sempre, mas a palavra de Deus é eterna. Concordo com Baldwin quando ele diz que as palavras dos profetas não tinham desaparecido, por serem palavras de Deus.[19] Dionísio Pape diz que Zacarias salienta aqui a imutabilidade da Palavra de Deus, que chama todas as gerações ao arrependimento.[20] Destacamos a seguir dois pontos.

Em primeiro lugar, a disciplina fez os pais lembrarem que Deus cumpre Suas ameaças, assim como Suas promessas (1.6a). *Contudo, as minhas palavras e os meus estatutos, que eu prescrevi aos profetas, meus servos, não alcançaram a vossos pais? Sim, estes se arrependeram...* As palavras de Deus e seus estatutos atingiram os pais, e eles se arrependeram. No cativeiro, eles não tiveram como negar que os profetas que os alertaram da parte de Deus estavam certos, e eles, errados. Quando a vara da disciplina os atingiu, eles caíram em si, reconhecendo que Deus falava sério e as ameaças contidas em Sua palavra não eram vazias.

Em segundo lugar, a disciplina fez os pais lembrarem que o castigo que receberam foi fruto de seus pecados (1.6b). ... *e disseram: Como o Senhor dos Exércitos fez tenção de nos tratar, segundo os nossos caminhos e segundo as nossas obras, assim ele nos fez.* Zacarias está dizendo que a palavra do Senhor triunfara no passado, deixando assim claro que o mesmo se dará no futuro. Os que estão ouvindo devem prestar atenção e compreender.[21] As confissões penitenciais registradas nas Escrituras (Ed 9; Ne 9; Dn 9) mostram como o arrependimento leva a presente geração a identificar-se com os pecados de seus antepassados.

Uma leitura mais atenta dos acontecimentos do cativeiro babilônico deixa claro que tudo estava de acordo com o que os profetas tinham predito. Deus não mudara, e Seu julgamento não contradissera Sua misericórdia. Nos mesmos termos do convite aos ancestrais, jovens e velhos estavam sendo convidados a voltar para Deus agora. Se eles o fizessem, a aliança seria renovada, e a restauração espiritual acompanharia a restauração material do templo.[22]

Esse é o sinal do verdadeiro arrependimento: quando reconhecemos que o sofrimento que nos sobrevém é resultado de nosso próprio pecado. Colhemos o que plantamos. E, nesse momento, como evidência do verdadeiro arrependimento, viramos as costas para o pecado e nos voltamos para Deus, a fonte restauradora. Richard Phillips traz uma palavra de encorajamento aos que atendem a essa ordem de se arrependerem: "Não importa como você tem vivido ou o que você tem passado, ao voltar-se para Deus, você poderá verdadeiramente começar de novo, porque Deus se voltará para você".[23]

NOTAS

[1] ROBINSON, George L. *Los doce profetas menores*, p. 126.

[2] PHILLIPS, Richard D. *Zacarias*, p. 13.

[3] PINTO, Carlos Osvaldo Cardoso. *Foco & desenvolvimento do AT.* São Paulo, SP: Hagnos, 2014, p. 787.

[4] GREATHOUSE, William M. O livro de Zacarias. In: *Comentário bíblico Beacon*, p. 297.

[5] BALDWIN, J. G. *Ageu, Zacarias e Malaquias: introdução e comentário*, p. 69.

[6] HILL, Andrew E. *Haggai, Zachariah and Malachi*, p. 124.

[7] BALDWIN, J. G. *Ageu, Zacarias e Malaquias: introdução e comentário*, p. 70.

[8] ROBINSON, George L. *Los doce profetas menores*, p. 126.

[9] HENRY, Matthew. *Comentário bíblico Antigo Testamento — Isaías a Malaquias.* Rio de Janeiro, RJ: CPAD, 2010, p. 1162.

[10] BALDWIN, J. G. *Ageu, Zacarias e Malaquias: introdução e comentário*, p. 68.

[11] Ibidem, p. 71.

[12] PHILLIPS, Richard D. *Zacarias*, p. 18-20.

[13] Ibidem, p. 21.

[14] BALDWIN, J. G. *Ageu, Zacarias e Malaquias: introdução e comentário*, p. 71.

[15] FEINBERG, Charles L. *Os profetas menores*, p. 255.

[16] BALDWIN, J. G. *Ageu, Zacarias e Malaquias: introdução e comentário*, p. 71.

[17] HILL, Andrew E. *Haggai, Zachariah and Malachi*, p. 117.

[18] WIERSBE, Warren W. *Comentário bíblico expositivo.* Vol. 4. Santo André, SP: Geográfica Editora, 2010, p. 554.

[19] BALDWIN, J. G. *Ageu, Zacarias e Malaquias: introdução e comentário*, p. 71.

[20] PAPE, Dionísio. *Justiça e esperança para hoje*, p. 114.

[21] BALDWIN, J. G. *Ageu, Zacarias e Malaquias: introdução e comentário*, p. 72.

[22] Ibidem, p. 72-73.

[23] PHILLIPS, Richard D. *Zacarias*, p. 23.

Capítulo 3

A primeira visão: Uma patrulha dos cavaleiros celestiais
(Zc 1.7-17)

ZACARIAS CONCLUI sua eloquente mensagem chamando o povo que retornou do exílio ao arrependimento e passando às suas visões. William Greathouse diz que as visões não são sonhos, mas uma série de alegorias conscientes e artísticas.[1] O registro dessas oito visões forma os primeiros seis capítulos desse livro. Richard Phillips diz que aquela noite de visões transformou para sempre a vida de Zacarias. Ele se tornou um profeta e um mensageiro de boas-novas ao povo.[2]

Zacarias recebeu oito visões numa mesma noite (15 de fevereiro, 519 a.C.), todas com o propósito de encorajar o povo pobre, desanimado e cercado de inimigos a cobrarem ânimo e reconstruírem o templo, uma vez que Deus está no controle da história e não se esqueceu de sua aliança. Deus abaterá Seus inimigos e exaltará Seu povo. Essas oito visões têm, portanto, a finalidade de encorajar a comunidade pós-exílica a confiar no Senhor, uma vez que Ele governa sobre as nações e as julgará quando o Renovo restaurar completamente o templo e suas atividades religiosas e incorporar os papéis de rei e sacerdote (1.7–6.8).[3]

Richard Phillips faz uma distinção entre palavra profética e visões. Enquanto a palavra profética convida um povo pecador ao arrependimento, as visões apocalípticas convidam um povo oprimido à esperança e à fé. Deus enviou Sua palavra profética para afligir os acomodados, mas deu visões de esperança para consolar os aflitos. As visões de Zacarias são semelhantes às do livro de Apocalipse, as quais foram entregues para mostrar a vitória de Cristo à enfraquecida e perseguida igreja primitiva.[4]

Concordo com Charles Feinberg quando diz que as oito visões formam uma unidade, e a primeira é a chave de todas elas.[5] Nessa mesma linha de pensamento, Baldwin diz que as oito visões devem ser interpretadas como um todo, porque cada uma contribui para formar um quadro geral do papel de Israel na nova era que se inicia.[6]

Bill Arnold ressalta que cada uma das visões noturnas de Zacarias segue um padrão determinado. Primeiro, Zacarias descreve o que ele vê. Depois, ele pergunta ao mensageiro celeste o que a visão significa (a quarta visão não inclui esse item). Em seguida, ele recebe a interpretação do mensageiro celeste.[7]

Gordon Fee e Douglas Stuart dizem que essas oito visões são ordenadas num padrão concêntrico (quiástico). Observe que as visões 1 e 8 (1.7-17; 6.1-8) apresentam grupos de cavalos coloridos, cujo propósito é percorrer toda a terra, como pano de fundo para a construção do templo. As visões 2 e 3 (1.18-21; 2.1-13) e as visões 6 e 7 (5.1-4; 5.5-11) estão relacionadas aos obstáculos enfrentados pela comunidade da restauração em sua reconstrução do templo (nas visões 2 e 3, os obstáculos vêm de fora, e nas visões 6 e 7, de dentro). As visões 4 e 5 (3.1-10; 4.1-14) são o elemento central, lidando especialmente com a liderança de Josué e Zorobabel, tanto para a construção do templo quanto para liderar a comunidade.[8]

Vamos examinar, agora, a primeira visão:

O tempo da visão (1.7)

No vigésimo-quarto dia do mês undécimo, que é o mês de sebate, no segundo ano de Dario, veio a palavra do Senhor ao profeta Zacarias, filho de Berequias, filho de Ido (1.7). A visão ocorre três meses depois da primeira mensagem proferida por Zacarias (1.1; 1.7). Trata-se do segundo ano de Dario. Este assumiu o poder da Pérsia depois da rebelião contra Cambises, filho de Ciro, e pacificou o grande império.

Mais uma vez a palavra do Senhor veio a Zacarias. Suas visões não são delírios nem divagações de sua mente. São revelações vindas do próprio Senhor, que governa o mundo e trabalha em favor de Seu povo. Zacarias não é a origem da mensagem, mas o receptáculo dela. Ele não cria a mensagem, apenas a recebe e a transmite.

O lugar e os personagens da visão (1.8)

Assim registra o profeta: *Tive de noite uma visão, e eis um homem montado num cavalo vermelho; estava parado entre as murteiras que havia num vale profundo; atrás dele se achavam cavalos vermelhos, baios e brancos* (1.8). Zacarias tem uma visão de noite. Ele está num vale profundo, muito provavelmente o vale de Cedrom, fora dos muros de Jerusalém, que ainda estavam em ruínas. Ali havia murteiras, planta viçosa e sempre verde, que abundava em Israel e era especialmente usada para fazer cabanas nas festas de Israel (Ne 8.15).

Zacarias vê um homem montado num cavalo vermelho. Esse homem é o anjo do Senhor (1.12), a quem ele chama de *meu senhor* (1.9). É também o anjo intérprete (1.9,10). É, certamente, uma aparição da segunda pessoa da Divindade, que nos tempos do Antigo Testamento realizava aparições temporárias em sua forma pré-encarnada. O Filho de Deus apareceu como Anjo do Senhor a Agar (Gn 16.7-14), a Abraão (Gn 18; 22.11-18), a Jacó (Gn 31.11,13), a Moisés (Êx 3), a Gideão (Jz 6.11-23) e aos pais de Sansão (Jz 13).[9]

Zacarias vê ainda, atrás do homem montado no cavalo vermelho, entre as murteiras, cavalos vermelhos, baios e brancos. Esses eram os cavaleiros celestiais, uma espécie de batedores de Deus, que percorreram e patrulharam a terra, sob o comando do Senhor dos Exércitos, o comandante em chefe das tropas celestiais.

As mensagens centrais da visão (1.8-17)

Essa visão tinha como propósito trazer palavras boas e consoladoras ao povo egresso do exílio (1.13). Quais são essas mensagens?

Em primeiro lugar, Deus está patrulhando a terra (1.10). *Então, respondeu o homem que estava entre as murteiras e disse: São os que o Senhor tem enviado para percorrerem a terra.* Esses cavaleiros que cavalgam os cavalos vermelhos, baios e brancos são mensageiros de Deus que percorrem toda a terra. São ministros de Deus, sob as ordens divinas.

A primeira visão: Uma patrulha dos cavaleiros celestiais

O mundo é o mundo de Deus. A terra é a terra de Deus. Ele conhece tudo e todos. Nada escapa à Sua investigação. Nada foge do Seu controle. As rédeas da história estão em Suas mãos. Deus é onipresente, onisciente e onipotente. Sua soberania é absoluta sobre toda a terra. Os reis da terra podem ser poderosos, mas Deus é o Todo-poderoso. Ele reina sobre as nações, pois se assenta no Seu santo trono (Sl 47.8). Concordo com Richard Phillips quando ele escreve:

> Os cavaleiros apresentam uma imagem vívida da onisciência e onipresença de Deus. A tropa de reconhecimento angelical de Deus "percorre a terra". Eles vão por toda parte, em todas as direções, sem impedimento, representando seu conhecimento exaustivo sobre tudo o que acontece em todos os lugares. Deus conhece todas as coisas que acontecem na terra, e a Sua presença é sentida em toda parte.[10]

Em segundo lugar, as nações ímpias estão em aparente segurança (1.11). *Eles responderam ao anjo do SENHOR, que estava entre as murteiras, e disseram: Nós já percorremos a terra, e eis que toda a terra está, agora, repousada e tranquila.* Os mensageiros celestiais informam que, depois de percorrerem toda a terra, constataram que ela está repousada e tranquila. A rebelião no reino da Pérsia foi debelada. Dario está no trono. O povo de Judá continuaria esquecido dos olhos desse poderoso império, mergulhado em extrema pobreza e desprezo. Essas notícias não eram alvissareiras para o povo de Judá, pois o remanescente de Judá estava sofrendo, enquanto as potências gentias desfrutavam de tranquilidade. Ageu havia prometido que o Senhor faria estremecer as nações e remiria Seu povo (Ag 2.6-9,20-23), mas esse acontecimento ainda não havia ocorrido.[11]

Em terceiro lugar, uma intercessão poderosa pelo povo de Deus (1.12). *Ó SENHOR dos Exércitos, até quando não terás compaixão de Jerusalém e das cidades de Judá, contra as quais estás indignado faz já setenta anos?* Aqui é o Deus Filho pré-encarnado que ora a Deus Pai. Feinberg diz que esse anjo em forma humana é designado vez após vez, no Antigo Testamento, como Deus (Gn 16.7-13; 22.11,12; Êx 3.2-6; Jz 6.14,22; 13.9-18,22).[12] Richard Phillips corrobora a ideia dizendo que há uma forte razão para entender que o anjo do Senhor em Zacarias 1 é o Senhor Jesus em forma pré-encarnada, uma vez que "o anjo do Senhor" é como normalmente se manifesta a segunda pessoa da Trindade no Antigo Testamento. "Anjo" significa "mensageiro", e Jesus é o mensageiro absoluto que revela Deus aos homens (Jo 8.28,29; Hb 1.2). Ele comanda os exércitos do céu (Mt 26.53). Ele intercede por Seu povo (Jo 17.1-26; Hb 7.25). Ele é o *príncipe do exército do Senhor* que Josué encontrou quando precisou de coragem (Js 5.14), e Aquele que Isaías viu no alto e sublime trono em tempo de desânimo (Is 6.1). Esse é o mesmo que João viu na visão inicial do livro de Apocalipse.[13]

Estamos inclinados a aceitar, portanto, que é o anjo do Senhor, o Anjo intérprete, o Mediador, o Anjo do Concerto, nosso bendito Senhor em pessoa, o Cristo pré-encarnado, que levanta uma intercessão poderosa em favor de Jerusalém. O tempo da disciplina havia acabado. Agora, depois de setenta anos da ira do Senhor contra o Seu povo, a compaixão o alcançaria. Tanto Jerusalém como as cidades de Judá ressurgiriam das cinzas. Deus visitaria com benignidade Seu povo, para lhes restaurar a sorte. Os setenta anos preditos por Jeremias chegam ao fim (Jr 25.11,12; Ag 1.2). Está na hora de Deus agir. Deus age em resposta às orações fundamentadas nas promessas de Sua própria Palavra. Concordo com Richard Phillips quando

A primeira visão: Uma patrulha dos cavaleiros celestiais

ele escreve: "Se desejamos orar com eficácia, precisamos conhecer as Escrituras. Temos de conhecer o que Deus prometeu e, então, pedir que Ele cumpra o que prometeu".[14]

Em quarto lugar, uma resposta consoladora da parte de Deus (1.13-15). A intercessão do anjo intérprete é eficaz em seus efeitos. Deus não se ofende quando derramamos nossas lágrimas sobre Seu peito. Ele recolhe cada uma das nossas lágrimas. Ele recebe cada uma das nossas súplicas. Ele atende a cada um dos nossos rogos. A resposta vem imediatamente, trazendo preciosas mensagens ao oprimido povo de Judá, como vemos a seguir.

Primeiro, Deus tem palavras boas e consoladoras para o povo (1.13). *Respondeu o SENHOR com palavras boas, palavras consoladoras, ao anjo que falava comigo.* Mesmo que as circunstâncias fossem sombrias, o futuro do povo estava nas mãos de Deus. A mensagem de Deus ao povo é boa e consoladora. Visa aquietar-lhe o coração aflito e trazer esperança aos desassistidos de esperança.

Segundo, Deus tem zelo por Seu povo (1.14). *E este me disse: Clama: Assim diz o SENHOR dos Exércitos: Com grande empenho, estou zelando por Jerusalém e por Sião.* Deus trabalha pelo Seu povo, e não contra Seu povo. Sendo Ele o Deus Todo-poderoso, o Senhor dos Exércitos, que tem a milícia celestial trabalhando sob Suas ordens, está grandemente empenhado em zelar por Jerusalém e Sião. O ciúme do Senhor por Seu povo (8.2) O incita agora a finalmente interpor-se a favor dos judeus (Is 42.13; 59.17; Ez 36.5,6; 38.19). Seu ciúme é o zelo que Ele tem por Seu povo.[15]

Terceiro, Deus tem indignação contra as nações que oprimiram Seu povo (1.15). *E, com grande indignação, estou irado contra as nações que vivem confiantes; porque eu estava um pouco indignado, e elas agravaram o mal.* As nações que foram usadas por Deus para disciplinar Seu povo (Is 10.5,6; Hc 1.5,6) se excederam em crueldade. Isso foi mal aos olhos do Senhor. Agora, eles receberiam o justo juízo divino. A ira de Deus acendeu contra essas nações e elas seriam castigadas por suas maldades. Andrew Hill diz que essas nações, especialmente a Assíria e a Babilônia, foram excessivas em sua destruição imposta aos divididos reinos de Israel e Judá. Essas nações seriam punidas porque tornaram esse desastre pior do que Deus intentou ou do que Jerusalém mereceu.[16] Essa passagem mostra a insensatez de buscar paz e felicidade longe do relacionamento restaurador de Deus. Sem Deus, não há bênção. Calvino tem razão quando diz:

> Apesar de as pessoas se acharem felizes, se gabarem e se vangloriarem de sua condição, elas estão em um estado ainda pior, pois toda felicidade que não procede da fonte do amor imerecido de Deus é destrutiva; em suma, quando Deus não é nosso Pai, quanto mais abundam todas as formas de bênçãos, mais nos afundamos em todo tipo de miséria.[17]

Em quinto lugar, a misericórdia de Deus é a base da restauração do povo (1.16a). *Portanto, assim diz o SENHOR: Voltei-me para Jerusalém com misericórdia...* Jerusalém só será reconstruída porque Deus se voltou para ela com misericórdia. Nós só seremos perdoados porque Deus não nos trata segundo os nossos pecados, mas consoante as Suas muitas misericórdias. De fato, só não somos consumidos porque as misericórdias de Deus se renovam a cada manhã em nosso favor. Concordo com Richard Phillips quando ele diz que o principal resultado da misericórdia de Deus é o perdão de nossos pecados. Misericórdia e perdão se unem, com o perdão sendo a expressão da misericórdia.[18]

Em sexto lugar, o templo do Senhor será reconstruído (1.16b). *... a minha casa nela será edificada, diz o SENHOR dos Exércitos, e o cordel será estendido sobre Jerusalém.* O templo, que estava com sua reconstrução interrompida pela falta de recursos, pela oposição dos inimigos e pelo embargo do rei persa, agora será reedificado. O culto divino seria restabelecido. Os sacrifícios seriam oferecidos. O povo voltaria a adorar a Deus conforme os preceitos divinos.

Uma das cenas mais tristes do Antigo Testamento foi quando a glória de Deus abandonou o templo de Jerusalém (Ez 10—11). Depois que a glória de Deus se foi do templo, aquele edifício não passou de mais uma construção, mesmo conservando sua pompa. O mesmo ocorre conosco. Jesus disse: *Sem mim, nada podeis fazer* (Jo 15.5). Ezequiel também profetizou a volta da glória do Senhor ao templo: *A glória do SENHOR entrou no templo pela porta que olha para o oriente. O Espírito me levantou e me levou ao átrio interior; e eis que a glória do SENHOR enchia o templo* (Ez 43.4,5). Deus agora promete que Sua casa será edificada!

Em sétimo lugar, a prosperidade de Deus será garantida pelo Deus da aliança (1.17a). *Clama outra vez, dizendo: Assim diz o SENHOR dos Exércitos: As minhas cidades ainda transbordarão de bens...* Deus chama as cidades de Judá de Suas cidades, pois são a habitação do Seu povo. Essas cidades deixariam de ser opróbrio. Seriam reconstruídas e se encheriam de bens.

Em oitavo lugar, o consolo divino prevalecerá sobre sua dor (1.17b). *... o SENHOR ainda consolará a Sião...* Sião ainda chora, mas Deus vai consolar o Seu povo. Ele vai estancar suas lágrimas e tratar sua dor. Haverá hinos de louvor em vez de espírito angustiado.

Em nono lugar, a eleição divina pode parecer oculta, mas jamais será desfeita (1.17c). *... e ainda escolherá a Jerusalém.* O Senhor ainda escolherá Jerusalém. Isso não significa que Deus abandonou a eleição e voltará a eleger Seu povo. Significa que há momentos em que o povo eleito de Deus, ao ser disciplinado, pode não se sentir seguro; no entanto, a eleição divina é incondicional e eterna. Ele jamais desiste do Seu povo.

Notas

[1] GREATHOUSE, William M. O livro de Zacarias. In: *Comentário bíblico Beacon*, p. 298.

[2] PHILLIPS, Richard D. *Zacarias*, p. 24.

[3] PINTO, Carlos Osvaldo Cardoso. *Foco & desenvolvimento do Antigo Testamento*, p. 787.

[4] PHILLIPS, Richard D. *Zacarias*, p. 25.

[5] FEINBERG, Charles L. *Os profetas menores*, p. 255.

[6] BALDWIN, J. G. *Ageu, Zacarias e Malaquias: introdução e comentário*, p. 73.

[7] ARNOLD, Bill T.; BEYER, Bryan E. *Descobrindo o Antigo Testamento*, p. 466.

[8] FEE, Gordon; STUART, Douglas. *Como ler a Bíblia livro por livro*, p. 305.

[9] WIERSBE, Warren W. *Comentário bíblico expositivo*. Vol. 4, p. 554.

[10] PHILLIPS, Richard D. *Zacarias*, p. 27.

[11] WIERSBE, Warren W. *Comentário bíblico expositivo*. Vol. 4, p. 555.

[12] FEINBERG, Charles L. *Os profetas menores*, p. 255.

[13] PHILLIPS, Richard D. *Zacarias*, p. 33.

[14] Ibidem, p. 30.

[15] GREATHOUSE, William M. O livro de Zacarias. In: *Comentário bíblico Beacon*, p. 299.

[16] HILL, Andrew E. *Haggai, Zechariah and Malachi*, p. 136.

[17] CALVIN, John. Zechariah and Malachi. In: *Calvin's commentary*. Vol. XV. Grand Rapids, MI: Baker Books, 2009, p. 46.

[18] PHILLIPS, Richard D. *Zacarias*, p. 37.

Capítulo 4

A segunda visão: O levantamento e a queda dos inimigos do povo de Deus
(Zc 1.18-21)

ESSA ELOQUENTE PASSAGEM das Escrituras revela a soberania de Deus na história. É Ele quem levanta e abate as nações. É Ele quem levanta reinos e derruba os poderosos do Seu trono. O mesmo Deus que levantou a Assíria e a Babilônia como o chicote da Sua disciplina sobre Seu povo também derrubou esses poderosos impérios por causa de sua arrogância e violência.

Dionísio Pape destaca a dificuldade do judeu em entender como o Deus de Israel podia se servir de nações pagás e cruéis para punir o Seu povo privilegiado. O livro de Habacuque expressa eloquentemente esse dilema (Hc 1.13). A justiça do Deus santo se vê, porém, no fato de Ele castigar finalmente os castigadores do Seu povo.[1]

Zacarias, depois de falar sobre a restauração do remanescente de Israel, agora fala sobre a proteção divina ao Seu povo. O Deus que disciplina é o mesmo que restaura. A disciplina não é uma negação da aliança de Deus com o Seu povo, mas uma demonstração dela.

O texto em tela nos apresenta duas visões, a visão dos chifres e a visão dos ferreiros que derrubam os chifres, das quais trataremos a seguir.

Os chifres, o poder terreno que afligiu o povo de Deus (1.18,19)

Zacarias levanta os olhos e vê quatro chifres. Então pergunta ao anjo que falava com ele qual era o significado da visão. O anjo respondeu: *São os chifres que dispersaram a Judá, a Israel e a Jerusalém* (1.19). No linguajar de um povo pastoril como os judeus, os chifres representavam a ameaça cruel de um rapinante do rebanho. Os chifres indicam as potências gentias que espalharam Judá pelo mundo.[2]

Charles Feinberg diz que o chifre é símbolo bem conhecido de poder, sendo a figura tomada dos animais corníferos, cuja força está justamente nos chifres (Mq 4.13; Dn 8.3,4).[3] Marcus Dods acrescenta que a visão dos quatro chifres representa os quatro quadrantes dos céus, a totalidade dos inimigos de Israel — seus inimigos de todos os cantos; ou seja, para onde quer que o povo olhasse — norte, sul, leste ou oeste —, havia inimigos que resistiam aos esforços judeus de reconstruir o templo e renovar a vida nacional.[4] Charles Feinberg esclarece quem são esses quatro chifres:

A segunda visão: O levantamento e a queda dos inimigos do povo de Deus

A presença dos quatro chifres tem recebido diversas interpretações. Muitos acham que o número é representativo dos quatro cantos da terra: os inimigos de Israel têm-na ameaçado de todos os lados. Há uma sugestão que especifica os inimigos dessa época: os samaritanos ao norte, os amonitas a leste, os edomitas ao sul, e os filisteus e os tírios a oeste. Segundo outra opinião, a referência seria tão ampla quanto possível — todos os impérios que haviam lidado com Judá e Jerusalém, oprimindo-as até seu final livramento pelo Messias. A julgar pelas figuras de Daniel e do Apocalipse, concluímos com muitos outros que a passagem se refere diretamente às quatro potências mundiais de Daniel 2, 7 e 8. As potências que dispersaram Judá, Israel e Jerusalém (a nação inteira com sua capital) foram a Babilônia, a Pérsia, a Grécia e Roma. É verdade que no tempo de Zacarias ainda não existiam a terceira e a quarta potências, mas é prerrogativa da profecia ver o esquema todo dos acontecimentos numa única visão ampla. Muitas vezes os acontecimentos são notados juntos, mas separados em seu cumprimento (9.9,10; Is 61.1-3; Dn 9.24-27).[5]

O que podemos aprender com essa visão?

Em primeiro lugar, os chifres simbolizam poder terreno (1.18,19). *Levantei os olhos e vi, e eis quatro chifres. Perguntei ao anjo que falava comigo: que é isto? Ele me respondeu: São os chifres que dispersaram a Judá, a Israel e a Jerusalém.* Andrew Hill diz que "chifres" são símbolos de poder e autoridade na literatura bíblica e podem representar um indivíduo (1Sm 2.1), uma dinastia (1Sm 2.10) ou uma nação (1.19).[6] Na visão de Daniel, esse símbolo representa as nações levantando-se contra Deus e Seus propósitos (Dn 7.15-28). Esses chifres, certamente, representavam os grandes impérios que dominaram o mundo, como o Império Assírio e o babilônico, que saquearam Israel, Judá e Jerusalém respectivamente. O Império Assírio dominou Israel, o Reino do Norte, em 722 a.C., e o Império Babilônico dominou Judá, o Reino do Sul, em 586 a.C. Essas duas potências militares subjugaram o povo da aliança. Arrasaram suas cidades, pilharam seus bens, massacraram seu povo e levaram cativos seus filhos.

Em segundo lugar, os chifres representam poder irresistível (1.21). *... Aqueles são os chifres que dispersaram a Judá, de maneira que ninguém pode levantar a cabeça...* Esses chifres apontavam para as nações que dispersaram Judá, de maneira que ninguém podia levantar a cabeça. Eles atacaram Judá com força descomunal. Esmagaram a cidade de Jerusalém. Atearam fogo no seu templo. Arrasaram seus palácios. Deixaram para trás um montão de ruínas.

Em terceiro lugar, os chifres simbolizam poder espiritual. É claro que, no passado, o povo de Deus enfrentou a fúria dos poderosos impérios. Mas hoje, embora em certos momentos da história a igreja tenha sido perseguida cruelmente por poderes políticos constituídos, nossa luta mais renhida é a luta espiritual (Ef 6.10-13). Esses chifres, portanto, representam toda a força que se opõe ao povo de Deus. O diabo, o mundo e a carne são inimigos medonhos (Ef 2.1-3). Eles sempre nos atacam com fúria pertinaz. Nossa guerra não é contra carne e sangue, mas contra principados e potestades, contra dominadores deste mundo tenebroso, contra forças espirituais do mal. Satanás é o nosso adversário. O mundo nos odeia, e nossa natureza terrena faz guerra contra nós.

Os ferreiros, o poder soberano de Deus que defende Seu povo e derrota Seus inimigos (1.20,21)

Zacarias vê ainda quatro ferreiros. Ao perguntar sobre o que isso significava, a resposta veio imediata: [Os] *ferreiros*

A segunda visão: O levantamento e a queda dos inimigos do povo de Deus

[...] *vieram para os amedrontar, para derribar os chifres das nações que levantaram o seu poder contra a terra de Judá, para a espalhar* (1.21). Deus disciplina Seu povo, usando a vara das nações como vara de Sua ira. Porém, essas mesmas nações arrogantes, que não reconheceram a ação de Deus por meio delas, foram derrubadas ao chão e reduzidas a pó.

Os ferreiros apontam para o braço do Senhor dos Exércitos, que abate os poderosos que afligiram o povo de Deus. William Greathouse diz que os quatro ferreiros simbolizam a destruição dos povos pagãos que oprimiram Judá e Jerusalém e agora ameaçam o cumprimento das promessas feitas na visão anterior (1.16,17).[7]

F. B. Meyer argumenta que, para a Babilônia, o "ferreiro" foi Ciro; para a Pérsia, Alexandre; para a Grécia, Roma; para Roma, a Gália. Muito diferentes entre si, muito cruéis e implacáveis, mas muito bem adaptados para o que tinham que fazer.[8] Sempre que na história os chifres incomodaram demais, vieram os ferreiros para serrá-los. O Senhor sabe onde encontrá-los e, quando chegar a hora certa, lá estarão eles para cumprirem as ordens do Senhor. Concordo com Richard Phillips quando ele diz: "O Senhor é capaz de derrotar todo inimigo que afronta a nossa salvação".[9]

Destacamos a seguir alguns pontos:

Em primeiro lugar, Deus é o defensor do Seu povo. Os poderosos podem prevalecer por um tempo, mas, quando o cálice da sua malícia transborda, então o Deus Todo-poderoso aciona o Seu braço forte para derrubar essas potências. A figura do ferreiro aponta para um poder irresistível. Os chifres não podem resistir aos golpes do martelo do ferreiro. Esse é o martelo que despedaça a penha. A palavra do Senhor é contundente: *Não é a minha palavra fogo, diz o Senhor, e martelo que esmiúça a penha?* (Jr 23.29).

Andrew Hill, interpretando essa segunda visão, escreve:

> O significado da segunda visão é plenamente afirmado: Deus planeja trazer Seu julgamento contra as nações responsáveis pela destruição de Jerusalém e o exílio de Judá (1.21). Esta declaração de retribuição torna explícito o que Deus já dissera em Sua ira contra essas nações (1.15). Em termos de sequência de eventos, a visão sugere que a restauração de Jerusalém sucederá dessas nações agressoras.[10]

Em segundo lugar, Deus é o protetor do Seu povo. Quando os inimigos do povo de Deus pensavam que haviam prevalecido contra Ele, Deus restaurava Seu povo desde o pó. Deus protegeu Seu povo das perniciosas heresias. Deus protegeu Seu povo das fornalhas ardentes. Deus guardou Seu povo dos massacres sangrentos. As portas do inferno não podem prevalecer contra a igreja.

Em terceiro lugar, Deus é o conquistador das vitórias do Seu povo. O povo de Deus vence os inimigos não com suas próprias forças, mas com a força divina. Embora sejamos fracos, o Deus Todo-poderoso luta por nós. Embora os inimigos sejam muitos e poderosos, o nosso Deus prevalece sobre eles porque é o Senhor dos Exércitos. Nossa salvação está garantida. Ninguém pode nos arrancar dos braços do nosso glorioso Redentor. Estamos escondidos com Cristo. Estamos assentados com Ele nas regiões celestes. Erguemos nossa voz com o veterano apóstolo Paulo: *Se Deus é por nós, quem será contra nós?* (Rm 8.31).

A segunda visão: O levantamento e a queda dos inimigos do povo de Deus

NOTAS

[1] PAPE, Dionísio. *Justiça e esperança para hoje*, p. 115.

[2] GREATHOUSE, William M. O livro de Zacarias. In: *Comentário bíblico Beacon*, p. 300-301.

[3] FEINBERG, Charles L. *Os profetas menores*, p. 258.

[4] DODS, Marcus. *The Post-Exilian Prophets*. Edimburgo: T &T Clark, 1881, p. 71.

[5] FEINBERG, Charles L. *Os profetas menores*, p. 258.

[6] HILL, Andrew E. *Haggai, Zechariah and Malachi*, p. 138.

[7] GREATHOUSE, William M. O livro de Zacarias. In: *Comentário bíblico Beacon*, p. 300.

[8] MEYER, F. B. *Zacarias: o profeta da esperança*. Miami, FL: Vida, 1987, p. 21.

[9] PHILLIPS, Richard D. *Zacarias*, p. 43.

[10] HILL, Andrew E. *Haggai, Zechariah and Malachi*, p. 140.

Capítulo 5

A terceira visão: A igreja de Deus, uma cidade sem muros
(Zc 2.1-13)

A IGREJA DE DEUS é a mesma tanto no Antigo como no Novo Testamentos. Jerusalém é aqui um símbolo da igreja. A igreja militante é a cidade de Deus, e a igreja triunfante é a Nova Jerusalém, a cidade do Deus vivo (Hb 11.10; 12.22). A igreja é o Israel de Deus (Gl 6.16). A igreja é a noiva de Cristo (Ap 21.9), o corpo de Cristo (1Co 12.12), o rebanho de Deus (At 20.28), no qual Deus manifesta Sua multiforme sabedoria nas regiões celestiais (Ef 3.10).

O texto em tela fala-nos sobre a terceira visão de Zacarias. A primeira visão promete a reconstrução de Jerusalém, e a terceira aponta para sua amplitude e segurança. Nas palavras de Charles

Feinberg, essa visão é um tratamento esmerado da promessa feita em Zacarias 1.16.[1] Ao levantar os olhos, Zacarias viu um homem com cordel de medir em suas mãos. Ao ser interrogado para onde estava indo, este lhe respondeu: *Medir Jerusalém, para ver qual é a sua largura e qual o seu comprimento* (2.2). Nesse momento, o anjo que falava com Zacarias na companhia de outro anjo sai ao encontro do homem com uma mensagem expressa: *Jerusalém será habitada como as aldeias sem muros...* (2.4). O anjo ainda disse ao homem que Deus habitaria no meio dela e a protegeria como um muro de fogo ao redor (2.5).

Dessa visão, depreendemos algumas verdades sublimes que abordamos a seguir.

A perspectiva humana sobre a igreja (2.1-3)

O homem sai com um cordel para medir Jerusalém porque esse era o tempo de reconstrução da cidade. Ele tinha como referência a cidade que fora devastada pelos caldeus. Queria saber se a cidade teria a mesma grandeza, a mesma magnificência. Sua perspectiva sobre a cidade é humana e limitada. F. B. Meyer escreve:

> Era como se ele estivesse definindo os limites da futura cidade, indicando a direção que os muros deveriam tomar e onde deveriam ficar. Até aqui, dizia ele para si mesmo. A cidade nunca ultrapassará o limite desta linha. Por mais que cresça, nunca passará daqui. Como é comum agirmos dessa maneira. Fazemos predições acerca do futuro e limitamos o crescimento da Cidade de Deus, coisas que Deus jamais planejou.[2]

Ainda hoje, muitos querem traçar os limites da igreja. São especialistas que analisam a cidade de Deus sob a ótica da terra, com critérios limitantes. Colocam cercas.

Levantam muros. Medem sua extensão. Estabelecem seus limites. Assim como o homem da visão foi alertado acerca da amplitude sem fronteiras de Jerusalém, é mister afirmar que a igreja de Deus ultrapassa todas as barreiras étnicas, linguísticas e culturais. A igreja chega a todos os povos, abrange todas as nações, invade todas as culturas. Ela não tem muros. Sempre transcende. Ninguém pode colocar limites na igreja de Deus. A descrição que encontramos em Apocalipse é de uma multidão incontável, de todas as nações, povos, tribos e línguas, como as estrelas do céu e como as areias do mar. Nas palavras de F. B. Meyer, essa multidão será tão numerosa quanto as estrelas num céu da meia-noite ou os grãos de areia na praia, suficientemente grande para compensar as dores da alma do Redentor e satisfazer o amor anelante de Deus.[3]

A perspectiva divina sobre a igreja (2.4)

Os pensamentos de Deus são maiores do que os pensamentos humanos. O plano de Deus para Sua igreja vai além dos planos humanos. Jerusalém seria como as aldeias sem muros. Sua geografia transcenderia os limites traçados por um cordel.

F. B. Meyer diz que não adianta demarcar os limites, pois o destino da cidade era ultrapassar todas as dimensões comuns e tornar-se tão grandiosa que nenhum muro conseguiria contê-la nem acompanhar seu desenvolvimento.[4] A igreja de Deus é universal. Ela penetra os muros altaneiros, as cortinas de ferro, as ideologias humanas e alcança aqueles que procedem de toda raça, povo, tribo, língua e nação (Ap 5.9).

A igreja de Deus é lugar onde se ajuntam multidões de homens. Brotam pessoas dos quatro cantos da terra: do

Norte e do Sul, do Leste e do Oeste. Todas as raças entram por suas portas. Todas as etnias são alcançadas por sua mensagem. Todas as tribos adentram seus umbrais. Ela é acolhedora a todos os que quiserem vir, acolhedora a todos os que a buscam. A igreja deve estar longe de ser uma sociedade secreta e fechada.[5]

A igreja é hospitaleira. É acolhedora. Não faz acepção de pessoas. Suas portas estão abertas a todos. É como as aldeias sem muros. O apóstolo Paulo deixa esse pensamento claro: *No qual* [em Cristo] *não pode haver grego nem judeu, circuncisão nem incircuncisão, bárbaro, cita, escravo, livre; porém Cristo é tudo em todos* (Cl 3.11).

Concordo com William Greathouse quando ele diz que a visão profética envolvia uma Jerusalém além da Sião histórica que seria reconstruída. Essa profecia visiona *a Jerusalém lá de cima* [...] *a qual é nossa mãe* (Gl 4.26). Insistir, portanto, em literalismo canhestro na interpretação dessa visão é cometer o mesmo erro que ela quer corrigir. Zacarias vê a cidade de Deus que João contemplou de relance na ilha de Patmos. Nela, há *uma multidão, da qual ninguém pode contar, de todas as nações, e tribos, e povos, e línguas* (Ap 7.9).[6]

A proteção divina à igreja (2.5a)

Os muros de uma cidade eram sua proteção contra o ataque dos inimigos. Porém, as altas muralhas de Jerusalém não puderam protegê-la do ataque avassalador dos caldeus. No entanto, agora, o Senhor se apresenta como o muro protetor de Jerusalém. É Deus quem protege o Seu povo. Ele não é apenas um muro alto, mas um muro de fogo. Ninguém pode atacar a igreja sem passar por Ele, que é fogo devorador. Dionísio Pape diz que o Deus da coluna

A terceira visão: A igreja de Deus, uma cidade sem muros

de fogo no deserto sinaítico vive e age em todos os tempos em favor do Seu povo amado.[7]

A proteção humana, por mais robusta que seja, é totalmente incapaz de nos proteger dos aleivosos perigos. Pense em quantos muros nós, cristãos, erigimos em nosso redor, nenhum dos quais oferece o tipo de segurança que somente Deus pode dar: dinheiro, posição, relacionamentos amorosos ou influência política.[8]

Os muros de Nínive possuíam 30 metros de altura, com 1.200 torres. Esses muros inexpugnáveis vieram abaixo. Os muros da Babilônia, da soberba Babilônia, eram tão largos que duas carruagens podiam correr paralelamente por cima deles, mas eles também caíram. O que o braço da carne edifica está sujeito à ruína. Os alicerces mais sólidos são chacoalhados. Ninguém, porém, pode abalar o Todo-poderoso. Ele é o protetor do Seu povo. Ele é o nosso alto refúgio. Ele é como um muro de fogo ao nosso redor. Não precisamos temer (Rm 8.31-39). Concordo com o que diz F. B. Meyer quando afirma que, da mesma forma que nenhuma peste e com certeza nenhum intruso conseguiria atravessar o cordão de chamas, assim também a invisível, mas poderosa, presença de Deus seria um baluarte sobre o qual todos os poderes da terra e do céu se despedaçariam. É essa proteção que toda congregação de crentes pode desfrutar perpetuamente.[9]

A presença divina com a igreja (2.5b)

Deus não apenas protege a Sua igreja, mas está presente no meio dela. Sua presença é melhor do que Suas melhores dádivas. A segurança do povo de Deus está no próprio Deus. O fato de Ele estar conosco nos garante segurança e paz. Quando Ele está conosco, não precisamos temer mal nenhum (Sl 23.4). Jesus prometeu aos discípulos Sua presença constante até a consumação dos séculos (Mt 28.20). Moisés disse a Deus que, se Ele não fosse com o povo rumo à terra prometida, ele próprio não poderia ir. Anjos e mesmo as delícias da terra da promessa não podem substituir a presença de Deus. A verdadeira proteção da igreja é a presença do Senhor no meio dela.

A glória divina no meio da igreja (2.5c)

William Greathouse diz, com razão, que a *shekinah* de Deus é a nossa única defesa contra os inimigos que tentam destruir a obra divina. O Espírito Santo é o preservador privativo da verdadeira doutrina, o protetor exclusivo da espiritualidade e o guardião particular da lei moral. A segurança de Sião hoje, como se deu nos dias de Zacarias, é a glória de Deus no meio dela.[10] A glória de Deus no meio da igreja é Sua presença manifesta no meio do Seu povo. Sua glória é Seu esplendor máximo. É o fulgor de Seus atributos divinos na Sua expressão superlativa. É uma espécie de antecipação do céu na terra. É um penhor da bem-aventurança eterna.

A igreja, lugar de salvação (2.6,7)

Os judeus que estavam espalhados como os quatro ventos do céu são admoestados a fugir da terra do Norte para onde haviam sido levados cativos. Aqueles que viviam com a filha da Babilônia são ordenados a retornar a Jerusalém, a voltar a Sião, a salvar a sua vida. Andrew Hill diz que, embora Deus tenha espalhado Seu povo no exílio babilônico (2.6), agora ordena-lhes fugir (2.6) e escapar (2.7). Isso implica que o mesmo Deus que os espalhou volta agora a congregá-los. Tanto o exílio como a restauração são obras de Deus.[11]

A terceira visão: A igreja de Deus, uma cidade sem muros

Baldwin diz que o significado é que as nações, apesar de sua aparente segurança, passarão pelo julgamento, e os judeus que permanecerem entre elas inevitavelmente participarão de seu destino. Por isso, devem atender com urgência à ordem do profeta.[12] F. B. Meyer, fazendo uma aplicação dessa ordem divina, escreve:

Ah, alma cristã, estás ainda peregrinando na Babilônia, conformando-te às convenções do mundo, moldada pelo espírito da época? Ouve a convocação divina de levantar e partir. Não pode ser aqui o teu descanso. E não iludas pensando que podes fazer o que o mundo faz e ainda assim gozar imunidade na sua destruição. As tropas vencedoras não iriam distinguir entre judeus e babilônios, mas matariam indiscriminadamente; e o ricochete da lei natural, violada pelo cristão professo, será tão agudo e inevitável quanto para os que não ocultam pertencer ao mundo. Tu podes ser filho de Deus, mas se tal condição não te impedir de agir como filho deste mundo, então nada te impedirá de sofrer como os filhos deste mundo quando vem a inevitável retribuição.[13]

A Babilônia com toda a sua glória vai cair. Jerusalém, porém, mesmo debaixo de escombros, será restaurada. A cidade dos homens entrará em colapso, mas a cidade de Deus será gloriosa. A salvação não está no mundo, mas na igreja. Os judeus que viviam na Babilônia achavam arriscado uma volta para Jerusalém ainda em ruínas. Na realidade, o risco maior era ficar no exílio. É sempre melhor ficar dentro da vontade de Deus, pois esse é o único lugar de perfeita segurança.[14]

Richard Phillips exorta com vívida eloquência: "Nós também precisamos fugir da Cidade do Homem, a cidade da destruição. Precisamos rejeitar seus padrões, repudiar seu estilo de vida e abraçar o modo de vida da Cidade de Deus, para onde estamos fugindo, a fim de sermos salvos".[15]

A igreja recebe o cuidado de Deus (2.8,9)

O Messias é enviado às nações que oprimiram o povo de Deus, e isso com o propósito de julgar as nações, proteger o Seu povo e, assim, dar glória ao Senhor. Destacamos a seguir três verdades.

Em primeiro lugar, Deus julga aqueles que oprimem o Seu povo (2.8,9). Deus, o Pai, envia o Seu Filho pré-encarnado, o Senhor dos Exércitos, para executar juízo sobre aqueles que oprimiram o povo da aliança, agitando a mão contra essas nações opressoras e tornando-as presas daqueles que os serviram.

Em segundo lugar, Deus protege o Seu povo da opressão de seus inimigos (2.8). O povo de Deus é a menina dos olhos dEle (Dt 32.10; Sl 17.8). O que isso significa? Warren Wiersbe diz que a pupila é uma pequena abertura na íris que deixa passar a luz, constituindo uma parte de grande importância para esse órgão vital. Assim, qualquer coisa querida e preciosa é comparada à menina dos olhos.[16] F. B. Meyer esclarece dizendo que não há parte alguma do corpo tão seguramente guardada quanto o olho. Os fortes ossos frontais, a sobrancelha ou os cílios para interceptar a poeira, as pálpebras para protegê-lo do brilho excessivo, as sensíveis glândulas lacrimais despejando incessantemente marés cristalinas sobre sua superfície — que riqueza de delicado mecanismo para sua segurança e saúde! Temos tudo isso em Deus. Ele está sempre alerta para nos avisar, defender e purificar.[17] Por isso, perseguir a igreja é perseguir a Cristo (At 9.4,5).

Em terceiro lugar, o propósito do ministério do Messias é dar glória ao nome de Deus (2.8). Todo o propósito da encarnação, vida, morte e ressurreição de Jesus, o Cristo, é dar glória ao Pai (Jo 1.14; 12.23,28; 17.4). Resta claro

A terceira visão: A igreja de Deus, uma cidade sem muros

afirmar que a restauração de Israel e, por conseguinte, a restauração da igreja dão glória ao nome de Deus.

A igreja e sua alegria em Deus (2.10)

O povo de Deus, o destinatário de tão grande salvação, é convocado a cantar e a exultar, dando seu testemunho de plena satisfação em Deus. E qual é o motivo dessa alegria? A presença do Messias de Deus em seu meio. O profeta Ezequiel descreve a nova cidade com o novo templo chamando-a de *Jeová-Shamá*, que significa *O Senhor Está Ali* (Ez 48.35). Assim como a glória de Deus habitou no tabernáculo e no templo, Jesus veio para habitar com o Seu povo. O Verbo eterno, pessoal e divino se fez carne e habitou entre nós cheio de graça e de verdade, e vimos a Sua glória, glória como do Unigênito do Pai (Jo 1.14). O nascimento do menino Jesus foi um acontecimento infinitamente mais excelente do que a construção do templo, pois foi no Verbo encarnado que Deus veio habitar no meio do Seu povo.[18]

A igreja, abrigo para os povos (2.11)

Zacarias descreve a universalidade da igreja. Muitas nações se ajuntarão ao Senhor e serão o Seu povo. Há uma só igreja, formada por judeus e gentios (Is 2.1-5; 19.23-25; 60.1-3; Zc 8.20-23). Concordo com Richard Phillips quando ele diz que a promessa de Zacarias 2.11 também se cumpre na vinda de Cristo. O fruto do Seu trabalho é que *naquele dia, muitas nações se ajuntarão ao Senhor e serão o meu povo*. De fato, somente Cristo e Sua igreja têm alguma semelhança com o cumprimento dessa promessa. Foi no Pentecostes, depois da morte e ressurreição de Cristo, que as nações falaram em uníssono por meio do ministério do Espírito Santo. Foi através das viagens missionárias dos apóstolos que os gentios se tornaram herdeiros da promessa e membros da aliança redentora de Deus. E é ainda por meio da obra missionária contínua da igreja que muitas nações se unem ao Senhor para se tornarem o povo de Cristo.[19]

A igreja, a herança de Deus (2.12)

O mesmo povo que o Senhor disciplinou é o povo que o Senhor restaurou como Sua possessão exclusiva. Judá e Jerusalém são um símbolo da igreja. O apóstolo Pedro diz que a igreja é raça eleita, sacerdócio real, nação santa, povo de propriedade exclusiva de Deus (1Pe 2.9). Zacarias 2.12 é o único lugar na Escritura em que a terra de Israel é chamada de *terra santa*.

A igreja, o monumento vivo do poder de Deus na história (2.13)

Os grandes impérios que oprimiram Israel caíram e não se levantaram. O povo de Deus, porém, que foi afligido pelos povos e disciplinado por Deus, foi também restaurado por Deus. A igreja é a menina dos olhos de Deus. O próprio Deus é um muro de fogo ao seu redor. É Deus quem chama o Seu povo dos quatro cantos da terra. É Deus quem salva Seu povo e lhe dá segurança. A igreja está segura nas mãos do Seu divino pastor. Nada nem ninguém pode separá-la do amor de Deus. *As portas do inferno não podem prevalecer contra ela* (Mt 16.18). Toda carne é ordenada a calar-se diante deste fato estupendo: Deus se levantou de Sua morada para chamar Seu povo, salvá-lo e dar a ele plena segurança. Deus é o centro do universo, o centro da igreja, o centro da nossa vida. Devemos viver nEle e para Ele.

A terceira visão: A igreja de Deus, uma cidade sem muros

NOTAS

[1] FEINBERG, Charles L. *Os profetas menores*, p. 259.

[2] MEYER, F. B. *Zacarias: o profeta da esperança*, p. 23.

[3] Ibidem, p. 25.

[4] Ibidem.

[5] PHILLIPS, Richard D. *Zacarias*, p. 50.

[6] GREATHOUSE, William M. O livro de Zacarias. In: *Comentário bíblico Beacon*, p. 303.

[7] PAPE, Dionísio. *Justiça e esperança para hoje*, p. 115.

[8] PHILLIPS, Richard D. *Zacarias*, p. 52.

[9] MEYER, F. B. *Zacarias: o profeta da esperança*, p. 25.

[10] GREATHOUSE, William M. O livro de Zacarias. In: *Comentário bíblico Beacon*, p. 303.

[11] HILL, Andrew E. *Haggai, Zechariah and Malachi*, p. 144.

[12] BALDWIN, J. G. *Ageu, Zacarias e Malaquias: introdução e comentário*, p. 87.

[13] MEYER, F. B. *Zacarias: o profeta da esperança*, p. 27.

[14] PAPE, Dionísio. *Justiça e esperança para hoje*, p. 116.

[15] PHILLIPS, Richard D. *Zacarias*, p. 64.

[16] WIERSBE, Warren W. *Comentário bíblico expositivo*. Vol. 4, p. 557.

[17] MEYER, F. B. *Zacarias: o profeta da esperança*, p. 27.

[18] PHILLIPS, Richard D. *Zacarias*, p. 62.

[19] Ibidem.

Capítulo 6

A quarta visão: Restauração, uma obra divina
(Zc 3.1-10)

As visões anteriores previram que Deus está a ponto de perturbar o "descanso" das nações e, finalmente, agir em benefício de Jerusalém (1.8-17). Os inimigos de Judá serão "derribados" (1.18-21), e Sião se tornará a habitação do Senhor (2.1-13). No entanto, para que essas profecias se cumpram, tem de haver uma transformação moral e espiritual do povo.[1] Nas visões que o profeta anunciou até agora, Deus falou sobre reconstrução, sobre retornar em Sua glória e sobre reunir as nações. Mas, ao voltar-nos para essa quarta visão, descobrimos que Deus tem de contender com o grande problema do pecado de Israel. Deus não pode ignorar ou deixar de lado o pecado, mas precisa encontrar solução para que essas visões se cumpram.[2]

O cativeiro babilônico havia terminado, mas a restauração do povo ainda não havia acontecido. O povo voltou para Jerusalém, mas não para Deus. Eles estavam fazendo a obra de Deus, mas não da maneira que agradava a Deus.

Os 4.289 sacerdotes que haviam voltado com Zorobabel (Ed 2.36-39) encontravam-se em estado deplorável. Na época de Neemias, os sacerdotes deixaram o sacerdócio e foram para o campo. A casa de Deus estava desamparada: havia casamentos mistos e divórcios. Na época de Malaquias, a situação era ainda pior. Os sacerdotes desprezavam o nome de Deus. Diziam que a mesa do Senhor era imunda. Levavam animais cegos, aleijados e dilacerados para oferecerem como sacrifícios. Eles deixaram de ensinar a lei e fizeram muitos tropeçar. Deus então tornou esses sacerdotes indignos diante do povo e amaldiçoou suas bênçãos.

Charles Feinberg diz, com razão, que a finalidade dessa visão era restaurar a confiança do povo no sacerdócio e no seu serviço. Uma vez que eles estavam reconstruindo o templo, era necessário reassegurar que Deus uma vez mais possuiria e reconheceria a adoração reinstituída ali. O sacerdócio se corrompera e se tornara sujeito à condenação nos tempos anteriores e posteriores ao exílio segundo mostra Ezequiel 22.26.[3] Os trajes imundos de Josué representavam o fracasso do sacerdócio em servir fielmente ao Senhor (Jr 6.13; Mq 3.11).

A despeito desse quadro, há uma promessa de restauração. A cena é de um tribunal. Josué é julgado num tribunal solene: 1) O acusado é culpado (3.1,3). O sumo sacerdote Josué, que representa todo o povo de Israel, é culpado e está

A quarta visão: Restauração, uma obra divina

diante do juiz para ser julgado. 2) O acusador é implacável (3.2). Satanás se opõe a Josué, conhecendo seus pecados. 3) O advogado de defesa é onipotente (3.2). O próprio Senhor usa argumentos irresistíveis na defesa vitoriosa de Josué (3.2). O acusador é repreendido, e o acusado é justificado. Que argumentos foram usados em defesa de Josué? A eleição divina e a redenção. Deus escolheu Jerusalém e remiu Josué como um tição tirado do fogo. 4) A decisão favorável no julgamento divino (3.4,5) tem como resultado o perdão, a justificação, a santificação e o serviço.

Vejamos a seguir a restauração do sacerdócio.

A necessidade da restauração (3.1,3,5)

Josué, o sumo sacerdote, está diante do Senhor, em favor do povo. Se ele for resistido, repreendido, rejeitado e lançado fora, todo o povo de Israel, com ele, também será lançado fora. Por isso, a necessidade imperativa da restauração. Comentamos isso a seguir.

Em primeiro lugar, o pecado do sacerdote (3.3). *Ora, Josué, trajado de vestes sujas.* Josué está aqui em seu caráter oficial e representativo, e não em sua capacidade pessoal e particular. Se ele for purificado, a nação o será; se ele for rejeitado para o serviço sacerdotal, eles também o serão.[4] Josué estava no altar, mas com vestes sujas. A palavra hebraica *tsoim*, traduzida por "sujas", indica a pior espécie possível de contaminação para um judeu. O termo pode ser traduzido por "coberto de excremento", o pior tipo de contaminação física e imundície.[5] Andrew Hill diz que, embora a palavra "sujas", símbolo da culpa e poluição do pecado, não apareça mais nenhuma vez no Antigo Testamento, está relacionada com palavras que significam excremento humano (Dt 23.13; Ez 4.12) ou vômito (2Rs

18.27; Is 28.8).[6] Trata-se da mesma triste realidade descrita pelo profeta Isaías: *Todos nós somos como o imundo, e todas as nossas justiças, como trapo da imundícia; todos nós murchamos como a folha, e as nossas iniquidades, como um vento, nos arrebatam* (Is 64.6).

As vestes sujas externas refletem a vida interna. O sumo sacerdote estava fazendo a obra do Senhor, mas de forma indigna. É preciso enfatizar que Deus está mais interessado em quem nós somos do que no que fazemos. A vida vem antes do ministério. A vida do líder é a vida da sua liderança.

Isaías estava no templo, na casa de Deus. Até então, ele havia pronunciado uma série de ais: 1) Ai dos que ajuntam casa a casa; 2) Ai dos que seguem a bebedice; 3) Ai dos que vivem na iniquidade; 4) Ai dos que ao mal chamam bem e ao bem, mal; 5) Ai dos que são sábios aos próprios olhos; 6) Ai dos que são heróis para beber vinho; mas agora diz: *Ai de mim! [...] porque sou homem de lábios impuros* (Is 5.8–6.5).

Josué estava no templo, no altar, orando pelo povo, mas suas vestes estavam sujas. Havia pecado na sua vida, sujeira nas suas mãos, impureza na sua mente, cobiça nos seus olhos, injustiça nos seus atos.

Hoje somos uma raça de sacerdotes: O que Deus está vendo em nossa vida? O que fazer? Renunciar ao sacerdócio? Abandonar a Deus? Deixar a igreja? Abjurar a fé? Não, mil vezes não! A Bíblia diz: *Em todo tempo sejam alvas as tuas vestes, e jamais falte o óleo sobre a tua cabeça* (Ec 9.8).

Em segundo lugar, a falta de autoridade espiritual (3.5). Turbante sujo significa falta de autoridade. O pecado lança opróbrio, rouba a autoridade, tira a unção. Josué estava sendo desqualificado pelo seu pecado. O pecado estava contaminando sua cabeça. Seu turbante, símbolo da sua

A quarta visão: Restauração, uma obra divina

autoridade, estava sujo. O pecado rouba do crente a autoridade espiritual. Perdemos a alegria da salvação. Perdemos a unção do Espírito. Perdemos o poder para fazer a obra. Perdemos o sorriso de Deus!

Em terceiro lugar, a oposição de Satanás (3.1). Como no livro de Apocalipse, nesta quarta visão de Zacarias, Satanás é apontado como o implacável inimigo do homem e de Deus.[7] Satanás está tentando a pessoa de maior destaque: o sumo sacerdote. Satanás está tentando no contexto mais sagrado: no templo. Satanás está tentando no lugar mais estratégico: do lado direito. A mão direita é a posição costumeira do demandante, ou promotor público, num processo legal (Sl 109.6). Satanás está tentando na hora mais importante: quando o sacerdote estava orando pelo povo. Warren Wiersbe tem razão em dizer que Zacarias descreve aqui a cena de um tribunal, no qual Josué era o acusado, Deus era o Juiz, Satanás, o advogado de acusação, e Jesus Cristo, o Advogado de defesa.[8]

Satanás nos espiona 24 horas por dia. Ele procura uma brecha. Busca uma fenda em nossa vida para nos acusar. Satanás aponta o pecado do líder para desqualificá-lo diante de Deus e do povo.

F. B. Meyer diz que esse adversário descobre os pontos fracos do caráter e os ataca; os defeitos secretos dos santos, e os proclama; o menor indício de deslealdade, e o exibe. Quando oramos, ele nos ataca. Quando nos achegamos à mesa do Senhor, ele vê a frieza do nosso coração e bate palmas. Ele nos acusa até quando estamos vivendo uma vida santa: *Porventura Jó debalde teme a Deus?* (Jó 1.9). Como Satanás não pode atingir Jesus, então ele tenta nos atingir.[9]

A possibilidade da restauração (3.1,2)

Vamos destacar a seguir alguns pontos importantes.

Em primeiro lugar, a restauração é baseada na presença de Deus (3.1). Josué [...] *estava diante do Anjo do* SENHOR. Esse Anjo do Senhor era o próprio Senhor. Sempre que estamos diante de Deus, há chance de restauração. Ele é rico em misericórdia. Ele conhece a nossa estrutura e sabe que somos pó. Ele se compadece de nós como um pai se compadece dos seus filhos. Ele é rico em perdoar. Ele mesmo é quem cura a nossa infidelidade.

Em segundo lugar, a restauração é baseada na repreensão a Satanás (3.2). Satanás não tem poder sobre nós quando buscamos o refúgio de Cristo. Jesus é o nosso Advogado. Como sacerdote aaraônico, Cristo morreu por nós; mas, como sacerdote da ordem de Melquisedeque, Ele vive para sempre, intercedendo em nosso favor. Quando o inimigo lança torpedos contra nós, Cristo os apanha na rede da sua intercessão e tira-lhes o poder de ferir. Antes que clamemos, Ele responde. Antes que percebamos as fortes e maliciosas acusações dirigidas contra nós, Ele já as rebateu (Rm 8.33,34).[10]

Richard Phillips enfatiza que Josué não diz nada em defesa própria. Sua boca permanece calada diante das acusações de Satanás. O Anjo do Senhor também não procura negar as acusações feitas contra Josué. Quanto conforto ver Jesus Cristo nos defender![11] Charles Spurgeon é meridianamente claro quando diz:

> Verdadeiramente, caro amigo, se Satanás deseja nos acusar, qualquer página de nossa história, qualquer hora do dia, lhe servirá de material para as acusações. Ontem você foi impaciente, no dia anterior você se orgulhou, outro dia você foi indolente, no outro, irritado. Oh, que antro de aves imundas é o coração humano! Se o velho acusador quer

motivos para a acusação, ele realmente encontrará quanto quiser e continuará a encontrar tanto quanto quiser, pois somos completamente imundos.[12]

Não podemos sair em nossa própria defesa, fiados em nossa própria justiça. Por isso, o Senhor mesmo é quem repreende Satanás. O Senhor é o nosso escudo. Ele é quem sai em nossa defesa. Deus mesmo é quem nos dá a vitória. Satanás é o acusador, mas Jesus é o nosso Advogado. Satanás veio para nos destruir, mas Jesus veio para nos dar vida, e vida em abundância. Satanás veio para nos acusar, mas Jesus veio para nos defender.

Feinberg tem razão ao dizer que o Anjo do Senhor aqui é o próprio Senhor. Assim, o Messias, numa dupla declaração, invoca a repreensão do Pai contra Satanás e suas acusações. A repetição tenciona mostrar a certeza de que as acusações de Satanás serão invalidadas.[13]

O apóstolo Paulo pergunta: *Quem intentará acusação contra os eleitos de Deus? É Deus quem os justifica. Quem os condenará? É Cristo Jesus quem morreu ou, antes, quem ressuscitou, o qual está à direta de Deus e também intercede por nós* (Rm 8.33,34).

Em terceiro lugar, a restauração é baseada na graça eletiva de Deus (3.2). A condição de Josué parecia um caso insustentável, exceto por uma coisa: a graça eletiva de Deus. A única justificativa para o povo de Deus reside na escolha soberana de Deus em graça (Dt 7.7-11; Sl 33.12; 132.13; Rm 9.16; 11.5). Feinberg está coberto de razão quando diz que Deus tem direito de atuar como Lhe apraz com os objetos de Sua ilimitada misericórdia.[14] Antes de ter nos escolhido, Ele sabia quem éramos. Conhecia nossos pecados, nossas fraquezas, nossos fracassos, nossos deslizes. Ele não nos escolheu porque éramos especiais. Somos especiais porque Ele nos escolheu. Assim escreveu Moisés: *Não vos teve o Senhor afeição, nem vos escolheu porque fôsseis mais numerosos do que qualquer povo, pois éreis o menor de todos os povos, mas porque o Senhor vos amava* [...] *vos resgatou da casa da servidão* (Dt 7.7,8). Ele nos amou quando éramos indignos. Ele nos amou quando éramos pecadores. Deus o escolheu não porque você era perfeito, mas para você ser perfeito. Deus o escolheu não porque você era santo, mas para você ser santo. Deus o escolheu não porque você era obediente, mas para você ser obediente. Deus o escolheu não porque você creu, mas para você crer. Deus o escolheu não porque você praticava boas obras, mas para você praticá-las. Deus não o escolheu porque você era digno, mas por amor de si mesmo.

Em quarto lugar, a restauração é baseada no resgate (3.2). O Senhor foi longe demais para voltar atrás. Deus arrancou Josué da fornalha do pecado. O povo tinha sofrido o chicote da disciplina, o cativeiro, o desespero. Mas Deus jamais permite que Seu povo seja destruído. Ele estava encarvoado, esturricado, chamuscado como um tição tirado do fogo, mas Deus o resgatou e não irá destruí-lo. O que o texto está dizendo é que Deus puniu Israel no cativeiro babilônico, mas pela Sua graça o poupou de aniquilamento total. A mesma mão que tirou do fogo o tição já chamuscado e meio consumido o lançaria de volta às chamas? E aquele que livrou o Seu povo da fornalha ardente do cativeiro babilônico deveria ouvir as acusações de Satanás e entregar os judeus de novo à completa destruição?[15]

As Escrituras comparam o sofrimento de Israel a uma passagem pelo fogo. Suas provações no Egito foram como uma fornalha (Dt 4.20), e o exílio na Babilônia foi

A quarta visão: Restauração, uma obra divina

comparado a ser refinado no fogo (Is 48.10; 43.1-6). Você tem valor para Deus. Você custou um alto preço para Deus. Ele comprou você com o sangue de Jesus.

Todo aquele por quem Cristo verteu o Seu sangue jamais perecerá. O apóstolo Paulo diz: *Aos que* [Deus] *predestinou, a esses também chamou; e aos que chamou, a esses também os justificou; e aos que justificou, a esses também os glorificou.* [...] *Se Deus é por nós, quem será contra nós?* (Rm 8.30,31).

O processo da restauração (3.4,5)

Três verdades devem ser aqui destacadas.

Em primeiro lugar, a purificação (3.4). *Tirai-lhe as vestes sujas.* Não podemos continuar na presença de Deus, fazendo a obra de Deus, com vestes sujas, com vida impura. Josué não podia purificar a si mesmo. As vestes sujas lhe foram tiradas. Deus é quem nos limpa e nos purifica. Só o sangue de Jesus pode nos lavar. Só Deus pode restaurar a nossa alma, purificar a nossa consciência, o nosso coração, a nossa vida.

E te vestirei de finos trajes (3.4). O mesmo Deus que nos purifica é quem nos justifica. Nossa justiça é como trapo de imundícia. A justiça de Cristo em nós é que nos capacita a estarmos no altar. É o ouro cobrindo a madeira de acácia. É a glória de Deus tragando nossa fraqueza. São os méritos de Cristo imputados a nós. É roupa branca, de linho finíssimo, nos cobrindo. Richard Phillips diz acertadamente que Jesus tomou nossas vestes encardidas e as colocou em si mesmo, recebendo em nosso lugar o castigo que nossos pecados merecem. Cristo diz a todos os que creem: *Eis que tenho feito que passe de ti a tua iniquidade e te vestirei de finos trajes.*[16]

Em segundo lugar, a restauração da autoridade espiritual (3.5).*Ponham-lhe um turbante limpo sobre a cabeça.* O turbante do sumo sacerdote continha fixada nele uma placa de ouro na qual estavam gravadas as palavras *Santidade ao* Senhor (Êx 28.36-38). Deus não apenas apaga as nossas transgressões, mas nos devolve a alegria da salvação e a autoridade espiritual. O filho pródigo pensou apenas em ser tratado como um escravo, mas o pai lhe devolveu a posição de filho. Pedro foi restaurado, depois de haver negado a seu Senhor, e tornou-se um poderoso pregador do evangelho. O diabo quer manter você de cabeça baixa, envergonhado. Mas Deus restaura plenamente sua vida!

Em terceiro lugar, o perdão dos pecados (3.4). *Eis que tenho feito que passe de ti a tua iniquidade.* O pecado nos amarra e nos deixa desanimados. O pecado nos cansa e nos desmotiva. O pecado nos torna amargos, críticos, trôpegos e vazios. O pecado é que impede a igreja de crescer. O pecado é que nos adoece espiritualmente. Deus, contudo, intervém e perdoa. Deus cancela a dívida. Deus apaga as transgressões como névoa. Joga os nossos pecados nas profundezas do mar. Ele cobre o nosso pecado com o sangue do Seu Filho e dele não mais se lembra. Davi caiu, reconheceu o seu pecado, pediu perdão, e Deus o perdoou. Pedro negou a Jesus, chorou, e Jesus o perdoou. À mulher pecadora, Jesus disse: *Vai e não peques mais.*

As implicações da restauração (3.6,7)

Destacamos a seguir duas verdades solenes:

Em primeiro lugar, as condições para a restauração (3.6,7). Duas foram as condições estabelecidas: Primeira, santidade pessoal (3.7a). *Assim diz o Senhor dos Exércitos: Se andares nos meus caminhos...* Josué é salvo pela graça e em seguida recebe a instrução para obedecer. Ele é justificado e imediatamente ordenado a seguir o processo da santificação. Andar nos caminhos de Deus significa seguir

A quarta visão: Restauração, uma obra divina

o Seu padrão, de acordo com os preceitos de Sua Palavra. Deus requer vida piedosa e obediência! Não podemos ter o coração dividido. Não podemos servir a Deus e ao mundo ao mesmo tempo. Não podemos pôr a mão no arado e olhar para trás. Precisamos levar Deus a sério. Precisamos ser totalmente do Senhor. Segunda, fidelidade no exercício do ministério (3.7b). ... *e observares os meus preceitos...* Josué deveria observar os deveres rituais do seu ofício, ou seja, guardar puro o sacerdócio. Para observar, é preciso conhecer os preceitos; para conhecer, é preciso estudar. Precisamos andar de acordo com o ensino da Palavra. A Bíblia deve reger nossa conduta. O serviço sagrado deve fluir de uma vida piedosa.

Em segundo lugar, os resultados da restauração. Dois são os resultados alistados: Primeiro, permanecer na posição de autoridade (3.7c). ... *também tu julgarás a minha casa e guardarás os meus átrios...* Quando vivemos em santidade, Deus nos dá autoridade para exercermos o nosso ministério. Seremos, então, instrumentos nas mãos de Deus. Segundo, acesso à presença de Deus (3.7d). ... *e te darei livre acesso entre estes que aqui se encontram.* Teremos intimidade com Deus e vida plena de oração. Nós nos deleitaremos em Deus. Depois teremos êxito em nosso trabalho diante dos homens. Só prevalece em público diante dos homens aqueles que prevalecem em secreto diante de Deus. A batalha é ganha na vida íntima com Deus. Jesus, muitas vezes, deixou a multidão para buscar o Pai em oração. Intimidade com o Pai era mais importante do que sucesso no ministério. Vida com Deus é mais importante do que trabalho para Deus.

Baldwin diz que vemos aqui a pessoa e a obra do grande homônimo de Josué, Jesus, sendo antecipadas. O fiel sumo sacerdote da era pré-cristã entrava na presença de Deus da mesma forma que o cristão, *pela graça, através da fé*. O adversário acusou (3.1), mas o Senhor o reinvestiu e o recomissionou, garantindo-lhe o direito que hoje em dia todos os que creem têm: o de chegar diretamente a Deus (Hb 4.14-16).[17]

A proclamação da restauração, a promessa do Messias Salvador (3.8-10)

Dionísio Pape diz que, num trecho altamente simbólico e misterioso, Josué recebe a promessa de um sumo sacerdote maior do que ele, "o Renovo", que levará o mesmo nome de Josué. O nome Jesus é a forma grega do hebraico Josué. Este tirará a iniquidade da terra num só dia. Eis por que o anjo que falou com José, em Nazaré, antes de Jesus nascer, disse: *E lhe porás o nome de Jesus* [Josué], *porque ele salvará o seu povo dos pecados deles* (Mt 1.21). No dia em que Jesus morreu na cruz, dia mil vezes abençoado, Ele carregou os nossos pecados, trazendo-nos paz com Deus. O profeta Zacarias descreve essa paz em termos simbólicos. Usa a ilustração convencional do morador que descansa debaixo da vide ou debaixo da figueira (3.10).[18]

Essa proclamação extraordinária feita a Josué e a seus sacerdotes aponta para o futuro, para a vinda de Jesus Cristo, o Servo, o Renovo, a Rocha, Aquele que fez a expiação dos nossos pecados e nos lavou com o Seu sangue. O tempo da Sua vinda foi divinamente fixado; o caráter do Seu trabalho foi divinamente apontado; e os resultados do Seu ministério foram divinamente estabelecidos.

O Messias nos é apresentado aqui de cinco formas, como vemos a seguir.

A quarta visão: Restauração, uma obra divina

Em primeiro lugar, o Servo (3.8a). A expressão "meu servo" é frequentemente usada em Isaías para se referir ao Messias (Is 42.1; 49.6; 52.13; 53.11). Isaías O apresenta: *Eis aqui o meu servo, a quem sustenho; o meu escolhido, em quem a minha alma se compraz; pus sobre ele o meu Espírito, e ele promulgará o direito para os gentios* (Is 42.1). O Novo Testamento aplica essa profecia a Jesus. Esse é o tema messiânico mais característico do Novo Testamento (At 8.30-35; 1Pe 2.21-25). O próprio Jesus afirmou: *O Filho do homem [...] não veio para ser servido, mas para servir e dar a sua vida em resgate por muitos* (Mt 20.28).

Em segundo lugar, o Renovo (3.8b). A palavra "renovo" ou "rebento" significa aquilo que germina ou brota do solo. A antiga árvore do Estado judeu estava morta, mas o profeta prenuncia uma nova vida pelo surgimento de um novo broto da casa de Davi.[19] Warren Wiersbe diz que "o Renovo" é uma imagem do Messias encontrada com frequência nos profetas (Is 11.1,2). Aqui em Zacarias 3.8, o Messias é chamado de *o meu servo, o Renovo*. Também é *o Renovo do SENHOR* (Is 4.2), *um Renovo justo* levantado a Davi (Jr 23.5; 33.15) e *o homem cujo nome é Renovo* (Zc 6.12,13). Esses quatro títulos são paralelos a quatro aspectos da pessoa de Cristo, conforme visto nos quatro evangelhos: 1) Renovo justo de Davi — Mateus, o evangelho do Rei; 2) Meu servo, o Renovo — Marcos, o evangelho do Servo; 3) O homem cujo nome é Renovo — Lucas, o evangelho do Filho do Homem; 4) O Renovo do Senhor — João, o evangelho do Filho de Deus.[20]

O renovo surgirá da obscuridade, mas alcançará a plenitude da salvação e a restauração da glória de Deus (Jr 23.5,6). De acordo com Richard Phillips, o que se diz sobre o renovo se aplica claramente à vida e ao ministério de Jesus. Como o renovo de Isaías, Jesus teve um humilde começo — nascido em uma estrebaria e colocado numa manjedoura, em pobreza e fragilidade; — e pareceu ter um destino desprezível — Sua morte na cruz como criminoso. — Contudo, foi elevado à direita de Deus, onde reina para sempre em glória.[21]

Em terceiro lugar, a Pedra (3.9a). O Messias é a Pedra. Essa imagem do Messias é encontrada com frequência nas Escrituras, como vemos: 1) Ele é a pedra angular ou fundamental da igreja (Sl 118.22,23; Mt 16.18; 21.42; Ef 2.19-22; 1Pe 2.7; Zc 10.4); 2) Ele é uma pedra de tropeço (Is 8.14; 1Pe 2.8; Rm 9.32,33); 3) Ele é a pedra ferida (Ez 17.6; 1Co 10.4); 4) Ele é a pedra que esmiúça (Dn 2.34,35). Warren Wiersbe tem razão ao dizer que, em Sua primeira vinda, Jesus foi uma pedra de tropeço que Israel rejeitou, mas se tornou a pedra fundamental para Sua igreja. Em Sua segunda vinda, Ele esmiuçará os reinos do mundo e estabelecerá Seu reino glorioso.[22]

Em quarto lugar, o Redentor (3.9b). Aqui olhamos para trás e vemos a cruz. O Messias é aquele que, por Seu sacrifício, tira a iniquidade. Essa profecia aponta para o dia em que Cristo morreu. Naquele grande dia da expiação, Jesus, de uma vez por todas, aniquilou o pecado pelo sacrifício de si mesmo (Hb 9.26).

Em quinto lugar, Aquele que traz a paz perene (3.10). Aqui olhamos para a frente e aguardamos a parúsia. Repousar sobre a vide e a figueira é uma imagem de paz e segurança (1Rs 4.25; 2Rs 18.31; Mq 4.4), algo pelo qual Israel sempre ansiou, mas nunca encontrou. Essa profecia aponta para o que Isaías disse: *O lobo habitará com o cordeiro, e o leopardo se deitará junto ao cabrito* (Is 11.6). Essa promessa ainda aguarda seu cumprimento final, quando o

A quarta visão: Restauração, uma obra divina

retorno de Cristo em glória levará todas as coisas à consumação. Tanto a cruz como a parúsia estão contempladas em Hebreus 9.28: *Cristo, tendo-se oferecido uma vez para sempre para tirar os pecados de muitos, aparecerá segunda vez, sem pecado, aos que o aguardam para a salvação.*

Notas

[1] GREATHOUSE, William M. O livro de Zacarias. In: *Comentário bíblico Beacon*, p. 304-305.

[2] PHILLIPS, Richard D. *Zacarias*, p. 66.

[3] FEINBERG, Charles L. *Os profetas menores*, p. 263-264.

[4] Ibidem, p. 264.

[5] WIERSBE, Warren W. *Comentário bíblico expositivo*. Vol. 4, p. 559.

[6] HILL, Andrew E. *Haggai, Zechariah and Malachi*, p. 149.

[7] PAPE, Dionísio. *Justiça e esperança para hoje*, p. 116.

[8] WIERSBE, Warren W. *Comentário bíblico expositivo*. Vol. 4, p. 559.

[9] MEYER, F. B. *Zacarias: o profeta da esperança*, p. 32.

[10] Ibidem, p. 33.

[11] PHILLIPS, Richard D. *Zacarias*, p. 69.

[12] SPURGEON, Charles H. *Metropolitan tabernacle pulpit*. Vol. 11. Carlisle, PA: Banner of Truth, 1973, p. 67.

[13] FEINBERG, Charles L. *Os profetas menores*, p. 265.

[14] Ibidem.

[15] GREATHOUSE, William M. O livro de Zacarias. In: *Comentário bíblico Beacon*, p. 306.

[16] PHILLIPS, Richard D. *Zacarias*, p. 72.

[17] BALDWIN, J. G. *Ageu, Zacarias e Malaquias: introdução e comentário*, p. 93.

18 Pape, Dionísio. *Justiça e esperança para hoje*, p. 116-117.

19 Greathouse, William M. O livro de Zacarias. In: *Comentário bíblico Beacon*. Vol. 5, p. 307.

20 Wiersbe, Warren W. *Comentário bíblico expositivo*. Vol. 4, p. 561.

21 Phillips, Richard D. *Zacarias*, p. 82-83.

22 Wiersbe, Warren W. *Comentário bíblico expositivo*. Vol. 4, p. 561.

Capítulo 7

A quinta visão:
Revestimento de poder
para fazer a obra de Deus
(Zc 4.1-14)

COMO A QUARTA VISÃO revelou a dignidade do sumo sacerdote, a quinta prometerá vitória a Zorobabel, o chefe civil da comunidade judaica. Se o dirigente religioso necessitava de estímulo para cumprir sua missão, de igual modo o chefe civil também necessitava.

Concordo com Baldwin quando ele diz que, se pudermos encontrar um propósito principal dessa visão, será o de encorajar os dois líderes, Josué e Zorobabel, lembrando-os dos recursos que Deus coloca à sua disposição e confirmando sua autoridade aos olhos da comunidade.[1]

Feinberg diz que, durante quase vinte anos, Zorobabel, governador de Judá, fora frustrado em seus esforços de edificar o templo. Como se poderia entender isso senão que Deus não estava considerando com favor os seus esforços? Agora, por meio dessa visão, lhe é dada essa certeza. Deus em Sua força e em Seu poder é suficiente para qualquer tarefa. Zorobabel seria revestido com o poder do Espírito Santo para fazer a obra.[2]

Vale destacar que os judeus que voltaram da Babilônia enfrentaram grandes dificuldades. Lidaram com a oposição de seus vizinhos, com a falta de recursos e com a deficiência de seus líderes. O sumo sacerdote estava vestido com trajes sujos, e o governador Zorobabel havia desistido de construir o templo. Eles lançaram os fundamentos do templo, mas diante das dificuldades largaram a obra e voltaram cada um para suas atividades, deixando abandonada a casa de Deus. Faltavam-lhes a visão e a disposição dos líderes. A cidade estava cheia de escombros. Os muros estavam quebrados. As portas estavam queimadas a fogo. O templo estava abandonado. Talvez o povo tenha chegado a pensar que, enquanto Zorobabel fosse o líder, jamais a pedra de arremate seria colocada no templo.

Foi nessa circunstância que o Anjo despertou Zacarias com uma mensagem de esperança. Mesmo que Zorobabel tivesse suas limitações, o templo seria reconstruído, porque o sucesso do empreendimento não dependia dele, mas do poder de Deus (4.6).

Feinberg é da opinião que a imagem da quinta visão representa realidades espirituais invisíveis, ofícios terrenos tangíveis e pessoas. O candelabro todo de ouro funciona como um símbolo da pureza e santidade de Deus, bem como da luz de Sua revelação (4.2). As duas oliveiras representam os ofícios de sacerdote e rei em Israel, e os dois ramos de oliveira são emblemas de Josué e Zorobabel (4.3,12). O óleo dourado

A quinta visão: Revestimento de poder para fazer a obra de Deus

pode simbolizar o Espírito Santo (4.12). Portanto, o foco da visão é a liderança na Jerusalém pós-exílica.[3] Feinberg diz ainda que o quadro todo tem em mira comunicar a ideia de um suprimento ilimitado que não necessitava de instrumentalidade humana para reabastecer, como acontecia com os candelabros do tabernáculo e do templo.[4]

Richard Phillips, por sua vez, abre mais o leque e levanta as três possíveis interpretações sobre o candelabro de ouro: o templo de Deus (Êx 30.7,8), a presença de Deus (2Sm 22.29; Is 9.2; Jo 8.12; Ap 21.23) ou o povo de Deus (Is 42.6; Mt 5.14).[5]

Embora a figura do candelabro possa legitimamente representar a presença de Deus e o próprio templo, abordaremos aqui a figura da igreja e a fonte do seu poder.

A igreja, o povo revestido com o Espírito Santo para ser luz para as nações (4.1-6)

O livro de Apocalipse compara as igrejas da Ásia Menor a sete candelabros de ouro. Essa visão de Zacarias apontava, portanto, para a igreja. Concordo com F. B. Meyer quando ele diz que a aurora ainda não raiou, a escuridão envolve a terra e trevas envolvem os povos. Mas Deus chamou o Seu povo para ser como luzeiro no mundo.[6]

Em primeiro lugar, a igreja é um candelabro de ouro cuja luz vem do próprio Deus (4.1-3). O candelabro é uma das peças que compunham o lugar santo no santuário (Êx 25.31-40). É símbolo da comunidade judaica restaurada e aponta para Cristo, a luz do mundo (Jo 8.12). Cabia aos sacerdotes cada noite aparar o pavio e prover o óleo necessário para manter acesas as lâmpadas (Lv 24.3). O candelabro que Zacarias viu, porém, era totalmente distinto. Esse candelabro possuía um vaso de azeite no alto, dentro do qual pingava azeite das duas oliveiras (4.3). Nenhum sacerdote precisava prover o azeite, pois ele pingava constantemente das oliveiras. Os sete tubos proviam um suprimento abundante de combustível para manter as lâmpadas acesas. O candelabro passou a ser, também, um símbolo da igreja (Ap 1.12,13).

Em segundo lugar, a igreja tem unidade na diversidade (4.1,2). A igreja, em sua missão de ser luz do mundo, é o candelabro de Deus cujo poder é suprido pelo Espírito Santo de Deus. É um único candelabro com sete tubos. Somos uma unidade na diversidade.

Em terceiro lugar, a igreja tem um alto valor para Deus (4.2). O candelabro é todo de ouro. Isso remete a seu valor. A igreja é preciosa para Deus. Embora sejamos retorcidos como madeira de acácia, Deus nos cobriu com o ouro de Sua glória. Embora nossa justiça não passe de trapo de imundícia, fomos cobertos com as vestes alvas da justiça de Cristo.

Em quarto lugar, a igreja é abastecida pelos próprios recursos de Deus (4.2,3). O azeite para esse candelabro não era suprido por mãos humanas. A fonte da provisão de azeite não vinha do vaso, mas das duas árvores vivas; era, portanto, perene e inexaurível.[7] O suprimento de poder para a igreja não vem dela mesma. Não há escassez nesses recursos. Nenhum esforço humano é exigido para que esses tubos sejam alimentados pelo azeite. As lâmpadas brilham não porque a estopa está queimando, mas porque o azeite que flui por meio do pavio de estopa está queimando. Precisamos entender, porém, quem somos para não nos gloriarmos em quem nós somos. Concordo com F. B. Meyer quando ele diz que Cristo mesmo é o nosso manancial de suprimento. Em Cristo, estão ocultos todos os tesouros da sabedoria e do

A quinta visão: Revestimento de poder para fazer a obra de Deus

conhecimento; Ele é a bacia oceânica dos infinitos recursos de Deus, e nEle podemos perpetuamente servir-nos de Seus depósitos e reabastecer-nos de Sua plenitude com graça sobre graça.[8]

A luz que brilha em nós e através de nós não procede de nós mesmos. Somos os dutos do candelabro. Somos o pavio de estopa. Esse pavio é o canal por onde passa o azeite e produz o fogo. Não temos luz própria nem produzimos o fogo. Um pavio de estopa sem azeite queima e vira um borrão encarvoado, produzindo fumaça, e não luz. Embaça o ambiente em vez de iluminá-lo. Oh, como é triste quando o pavio de estopa, arrogantemente, imagina que é a fonte da luz! Sem azeite, o pavio fica chamuscado. Sem o banho do azeite, a luz que o pavio produz logo se apaga. Sem azeite, o pavio nada produz senão fumaceira e carvão. O pavio não tem luz para dar. Não é o pavio que queima, mas o azeite que o satura. Somos apenas o veículo entre o azeite e o fogo.

A luz que brilha em nós e através de nós procede do azeite. O azeite é um símbolo do Espírito Santo. Só por meio do Espírito é que podemos brilhar. É o Espírito Santo quem nos transforma na imagem de Cristo. Não temos luz em nós mesmos. Apenas refletimos a luz de Cristo, o Sol da Justiça. Somos como a lua, que só brilha na medida em que reflete a luz do sol. Nós, também, só temos luz quando estamos encharcados de azeite. Quando o pavio de estopa imagina que pode produzir fogo sem o azeite, inevitavelmente se tornará carvão que para nada mais serve senão para sujar e poluir o ambiente.

A luz que brilha em nós e através de nós mantém o fogo aceso. Se o fogo que arde em nós não é produzido pelo azeite, então é um fogo falso. Porém, se somos um pavio de estopa encharcado de azeite, então o fogo arderá em nossa vida, e o mundo verá a luz de Cristo em nós e através de nós. Deus se manifestou muitas vezes através do fogo. Ele é fogo. Sua palavra é fogo. Ele faz de Seus ministros labaredas de fogo. Ele batiza com o Espírito Santo e com fogo. O Espírito Santo foi derramado em línguas como de fogo. Esse fogo não pode apagar no altar da nossa vida. O fervor jamais pode extinguir-se em nosso coração.

A luz que brilha em nós e através de nós precisa de pavios de estopa limpos. Espevitadeiras de ouro eram usadas para tirar os borrões dos pavios de estopa e limpá-los. Pavios encarvoados produzem poluição. Entenebrecem o ambiente em vez de iluminá-lo. Precisamos constantemente de azeite e aparagem na estopa do nosso pavio. Precisamos ser limpos para brilharmos com a mesma intensidade até o final. Se o pavio de estopa não for limpo periodicamente e se as pontas carbonizadas não forem removidas, ele produzirá uma fumaceira tóxica. Assim é com a nossa vida. Precisamos ser purificados. Precisamos nos desvencilhar daquelas borras de carvão que vão se instalando em nossa vida, tirando de nós o brilho da glória de Cristo e o calor espiritual.

A luz que brilha em nós e através de nós precisa de azeite puro. Deus deu instruções claras a Moisés acerca do azeite que deveria ser usado. Azeite falso produz uma luz bruxuleante. Não podemos imitar a obra do Espírito. Não podemos substituir a ação do Espírito por simulacros humanos. Usar azeite falso, manipulado pela artimanha humana, é produzir uma fumaceira lôbrega em vez de espargir a luz. Mais do que insensatez, é consumada rebeldia contra Deus tentar substituir a obra do Espírito Santo pelas imitações humanas. Que jamais nos esqueçamos de que somos apenas um pavio de estopa. Somos o canal entre o azeite e o fogo. Nossa vocação é espargir a luz, a luz de Cristo!

A quinta visão: Revestimento de poder para fazer a obra de Deus

Em quinto lugar, a igreja faz a obra de Deus na força do Espírito de Deus (4.4-6). Warren Wiersbe diz que a palavra "força" se refere à força militar, ou seja, àquilo que as pessoas podem fazer em conjunto, mas o remanescente não possuía um exército. O termo "poder" refere-se à força individual, mas sem dúvida as forças de Zorobabel estavam chegando ao fim.[9] Podemos tentar realizar a obra de Deus lançando mão de três expedientes: confiar em nossa própria força e sabedoria; tomar emprestados os recursos do mundo; ou depender do poder do Espírito de Deus. A promessa a Zorobabel aqui é que a obra seria feita não por força nem por poder, mas pelo Espírito de Deus.

É muito provável que Zorobabel tenha ficado desanimado em sua obra por causa da oposição movida contra ela, por causa da grandiosidade da tarefa e em razão dos pequenos recursos para levá-la a cabo. Havia elementos suficientes na situação para criar o mais forte desespero. A mensagem de Deus nessa situação desesperadora é que o êxito da realização da tarefa não depende da força nem do poder do homem, mas do Espírito Santo.[10] Resta claro afirmar que a fraqueza do homem e a oposição do mundo e do diabo não são obstáculo para o avanço da obra de Deus (2Co 12.9,10; Hb 11.34; 2Co 4.7). Concordo com Feinberg quando ele diz: "Visto que desde o princípio até o fim a obra é espiritual, há de contar-se com o onipotente e infalível poder do Espírito de Deus. O braço da carne falha; Deus não".[11]

A igreja, o povo que realiza a obra de Deus, fortalecido pela graça (4.7-10)

Quatro lições devem ser aqui destacadas, como vemos a seguir:

Em primeiro lugar, as dificuldades da obra são superadas pela intervenção de Deus (4.7). As montanhas de oposição à obra de Deus, práticas e pessoais, serão uma campina, que não pode impedir o progresso.[12] Quais eram as montanhas que Zorobabel tinha diante dele? Elas representavam todas as dificuldades no caminho para completar a obra do templo. Que montanhas eram essas? O desânimo do povo, a oposição dos vizinhos, a falta de recursos, o embargo do rei persa, a desobediência do povo. Mas esses montes de dificuldades seriam aplanados e se tornariam campinas diante de Zorobabel. O templo que fora iniciado seria concluído. O mesmo Zorobabel que lançara a pedra fundamental colocaria também a pedra de arremate.

Em segundo lugar, a obra de Deus é concluída com senso de alegria e reconhecimento da graça (4.7b). A pedra de arremate, a última da construção, seria colocada em meio a aclamações: *Haja graça e graça para ela.* O sucesso da obra de Deus não é fruto da obra humana, mas expressão da graça divina. Caminhamos vitoriosamente não em nossa própria força, mas pela graça de Deus. É pela graça que somos salvos. É pela graça que somos capacitados a trabalhar. É pela graça que chegamos ao céu.

Em terceiro lugar, a obra de Deus avança na força do Senhor, e não na força do homem (4.8,9). O mesmo Zorobabel que lançara os fundamentos do templo acabaria o templo, não porque tinha capacidade pessoal para tal, mas para que todos soubessem que o Senhor dos Exércitos é quem o enviara para essa missão. A comissão vem de Deus. O poder vem de Deus. A obra é feita pela ação soberana de Deus. A glória dos resultados extraordinários só pertence a Deus.

A quinta visão: Revestimento de poder para fazer a obra de Deus

Em quarto lugar, a obra de Deus tem começos modestos, mas resultados gloriosos (4.10). Para alguns judeus, o projeto era apenas um "humilde começo" em comparação com o templo grandioso de Salomão. Mas devemos ver a obra de Deus sob a perspectiva de Deus. Grandes carvalhos crescem de pequenas sementes. Quando o Messias veio à terra, era apenas um rebento saindo do tronco de Jessé (Is 11.1). Ele também era desprezado e o mais rejeitado entre os homens (Is 53.3). A igreja começou com 120 pessoas e hoje se espalhou por todo o mundo. Quando Deus quis libertar Israel do Egito, usou o choro de um bebê (Êx 2.1-10). Quando Deus quis derrotar o gigante Golias, usou a funda de um pastor. Quando Jesus alimentou uma multidão, usou o pequeno lanche de um menino. Quando Deus livrou Paulo das mãos de seus inimigos, salvou-o dentro de um cesto.[13]

Richard Phillips registra a história do missionário Hudson Taylor nos meados do século 19. Ele foi chamado por Deus para ir para a China. Não tinha recursos. Não tinha agências missionárias. Havia a barreira da língua e os obstáculos culturais. Mas, apesar do humilde começo, Hudson Taylor foi para a China e fundou a Missão para o Interior da China, uma importante organização missionária que alcançou milhões de pessoas para o evangelho de Jesus Cristo.[14]

A igreja, o povo que tem uma liderança capacitada pelo Espírito Santo para fazer a obra de Deus (4.11-14)

Vamos destacar aqui algumas lições.

Em primeiro lugar, os dois filhos da unção são os líderes religioso e político (4.11-14). Josué e Zorobabel eram os filhos do óleo, os filhos do azeite, os filhos da unção, os ungidos de Deus. Representavam o poder religioso e o civil, o Estado e a religião. É Deus quem constitui os líderes. A liderança é instituída por Deus. Eles são ministros de Deus.

Em segundo lugar, a capacitação da liderança vem do Espírito Santo (4.11-14). A capacitação da liderança não vem dos recursos da terra, mas da provisão do céu. Não vem das técnicas humanas, mas do poder do Espírito Santo. As ferramentas humanas são pequenas demais para levar a obra de Deus avante. Precisamos dos recursos inesgotáveis da graça. Precisamos do poder do Espírito. A igreja só avança na força do próprio Deus.

Em terceiro lugar, os dois filhos da unção apontam para o Messias, o Ungido de Deus, o Sacerdote-Rei (4.14). Isaltino Gomes diz corretamente que a combinação de governante e sacerdote põe o foco final no Rei-Sacerdote Messiânico (6.13; Sl 110; Hb 10). O Messias que há de vir será Rei e Sacerdote.[15]

Profetas, sacerdotes e reis eram ungidos com óleo. Daí vêm as palavras "Messias" e "Cristo". Ambas significam "ungido". Essa profecia aponta para Cristo, o Sacerdote-Rei (6.13). Ele foi ungido com o Espírito Santo (Is 61.1; Lc 4.18,19). Ele está no trono como Sumo Sacerdote e também como o Rei dos reis. Jesus Cristo é o verdadeiro "Filho do óleo".

Baldwin resume bem esse pensamento quando escreve:

> Os capítulos 3 e 4 têm clara importância messiânica. Mesmo falando em primeiro lugar da reconstrução que era feita em Jerusalém em 519 a.C., a rocha (3.9), a pedra (4.7), o renovo (3.8) e o templo, tudo tinha um significado além do imediato. Esses significados estavam ligados aos "filhos do óleo", Josué e Zorobabel, sacerdote e príncipe davídico, que em conjunto são o meio pelo qual vem a nova esperança para a comunidade. Através do sumo sacerdote, é proclamado o perdão de pecados e feito possível o acesso à presença de Deus;

A quinta visão: Revestimento de poder para fazer a obra de Deus

através do príncipe é completado o templo e o candelabro feito para brilhar para todo o mundo. Dois ungidos com papéis coordenados; nenhum é suficiente sem o outro. Têm dignidades e importância iguais. As duas funções foram unificadas na pessoa e obra de Cristo, o Sacerdote-Rei.[16]

Em quarto lugar, os dois filhos da unção apontam para a igreja, pois somos sacerdotes reais (1Pe 2.9). Josué e Zorobabel são um tipo da igreja e representam todos aqueles que foram feitos sacerdócio real (1Pe 2.9).

Concluímos com as palavras de Andrew Hill, segundo o qual o ponto crucial dessa visão do candelabro e das duas oliveiras é que Deus irá capacitar Zorobabel e Josué para reconstruírem Seu santo templo, trazendo dessa forma uma importante mensagem de encorajamento para os judeus que voltaram do exílio. Teologicamente, essa quinta visão enfatiza três básicas lições espirituais. Primeira, com Deus, todas as coisas são possíveis (Mt 19.26). Segunda, Deus realiza Seus propósitos no mundo através de Seus servos revestidos com o poder do Espírito Santo (4.6; Ag 2.5; Zc 7.12; Jo 16.5-15). E, terceira, Deus se deleita nos pequenos começos (4.10; Ed 3.12; Ag 2.3).[17]

NOTAS

[1] BALDWIN, J. G. *Ageu, Zacarias e Malaquias: introdução e comentário*, p. 95.

[2] FEINBERG, Charles L. *Os profetas menores*, p. 268-269.

[3] HILL, Andrew E. *Haggai, Zechariah and Malachi*, p. 154.

[4] FEINBERG, Charles L. *Os profetas menores*, p. 269.

[5] PHILLIPS, Richard D. *Zacarias*, p. 90.

[6] MEYER, F. B. *Zacarias: o profeta da esperança*, p. 38.

[7] GREATHOUSE, William M. O livro de Zacarias. In: *Comentário bíblico Beacon*, p. 308.

[8] MEYER, F. B. *Zacarias: o profeta da esperança*, p. 39.

[9] WIERSBE, Warren W. *Comentário bíblico expositivo*. Vol. 4, p. 563.

[10] FEINBERG, Charles L. *Os profetas menores*, p. 270.

[11] Ibidem, p. 271.

[12] BALDWIN, J. G. *Ageu, Zacarias e Malaquias: introdução e comentário*, p. 98.

[13] WIERSBE, Warren W. *Comentário bíblico expositivo*. Vol. 4, p. 564.

[14] PHILLIPS, Richard D. *Zacarias*, p. 108.

[15] COELHO FILHO, Isaltino Gomes. *Os profetas menores (II)*, p. 153.

[16] BALDWIN, J. G. *Ageu, Zacarias e Malaquias: introdução e comentário*, p. 101.

[17] HILL, Andrew E. *Haggai, Zechariah and Malachi*, p. 162.

Capítulo 8

A sexta visão: A malignidade do pecado e sua punição
(Zc 5.1-4)

A SEXTA VISÃO, a visão do rolo voante, e as duas subsequentes possuem uma estreita conexão entre si. Elas estão conectadas pelo verbo "sair". É o rolo voante que sai (5.3); é o efa que sai (5.6); são os quatro carros que saem (6.5). F. B. Meyer diz que é como se fosse permitido a Zacarias estar no centro das coisas, onde Deus está, e ver os sucessivos emissários da providência divina com relação ao governo moral de Seu povo e do mundo.[1] Charles Feinberg explica que, por causa do pecado, o juízo caíra sobre Israel, primeiro individualmente (5.1-4), depois em âmbito nacional (5.5-11) e, por fim, atingirá também as nações (6.1-8).[2]

De acordo com Andrew Hill, o rolo voante relembrava aos líderes, bem como ao povo pós-exílico, que eles ainda estavam obrigados a obedecer aos mandamentos do pacto mosaico. Além disso, a comunidade judaica precisava entender que as maldições estabelecidas pela lei no Sinai ainda estavam em vigência. Aqueles que violassem as normas do pacto seriam amaldiçoados com banimento (5.3) e destruição (5.4).[3]

A terra será purgada dos malfeitores e da maldade. Os pecadores serão encontrados mesmo no interior de suas casas, e seus pecados serão expostos e condenados. Ladrões e perjuros não escaparão. A maldição virá sobre eles como uma praga devastadora. O pecado descoberto é pecado julgado.

Nessa sexta visão, Zacarias levanta os olhos e vê um rolo voante (5.1). O anjo lhe pergunta: *Que vês?* Zacarias responde: *Vejo um rolo voante, que tem vinte côvados de comprimento e dez de largura* (5.2). A palavra "rolo" usada aqui é a comumente empregada para descrever uma pele ou pergaminho onde se escreviam as mensagens. Esse rolo está desenrolado, como uma folha gigante que voa como uma ave de rapina, como uma flecha à cata de seu alvo.

Duas verdades solenes são apresentadas nessa sexta visão: a malignidade do pecado e sua inevitável punição.

A malignidade do pecado (5.1-4)

O rolo voante tem grande dimensão: vinte côvados de comprimento por dez de largura. Isso significa nove metros de comprimento por quatro e meio de largura. Algumas lições podem ser extraídas daqui.

Em primeiro lugar, o rolo é grande (5.2). Baldwin diz que, pelo fato de esse rolo ser tão grande a ponto de todos poderem vê-lo, ninguém poderia fugir do seu julgamento.[4] Esse rolo tem a mesma dimensão do pórtico do templo de Salomão, onde ficavam o candelabro, o altar de incenso e a mesa com os pães da proposição (1Rs 6.3). O que isso significa? Para Feinberg, a visão nos ensinaria que a santidade do santuário do Senhor é a medida do pecado e que o juízo deve começar pela casa de Deus (1Pe 4.17,18).[5] Isso significa ainda que os homens, no que concerne ao pecado, não serão julgados por medidas estabelecidas por eles, nem serão pesados por suas próprias balanças falsas, mas julgados pela medida do santuário, segundo os preceitos da lei de Deus.

Nessa mesma linha de pensamento, Richard Phillips escreve:

> Este rolo perscrutador de pecado, contendo a lei de Deus e refletindo as dimensões do lugar santo, nos lembra de que o que determina o pecado é a revelação de Deus. Nós não somos os que criam a realidade moral, por mais que tentemos. Não podemos revisar a verdade moral decidindo por nós mesmos o que é certo e errado. Esse rolo sai com a lei de Deus, não com a opinião humana; suas dimensões não são aquelas da última pesquisa de opinião, mas do caráter santo de Deus. Nosso juízo moral está fatalmente distorcido. O que está certo nosso coração mostra como corrompido, e o que está corrompido, como certo. Então, Deus nos dá a sua lei como espelho pelo qual podemos ver a nós mesmos como realmente somos.[6]

Numa sociedade rendida ao relativismo moral, essa mensagem é assaz urgente e oportuna. A inversão de valores desfila garbosamente nos palácios, nos parlamentos e nas cortes. A grande mídia, as redes sociais, o cinema e o teatro fazem apologia do pecado e escarnecem da virtude. Nossa sociedade se esforça para tornar o pecado mais brando. Substituímos a palavra "pecado" por "disfunção". Nas palavras de Richard Phillips, deixamos a definição de pecado para ser resolvida por sociólogos, psicólogos e legisladores.[7] A visão do rolo voante joga esse relativismo por terra e mostra que o pecado é maligníssimo e que aqueles que nele permanecem serão condenados. Assim está escrito: *Eis que, hoje, eu ponho diante de vós a bênção e a maldição; a bênção, quando cumprirdes os mandamentos do SENHOR, vosso Deus, que hoje vos ordeno; a maldição, se não cumprirdes os mandamentos do SENHOR, vosso Deus, mas vos desviardes do caminho que hoje vos ordeno, para seguirdes outros deuses que não conhecestes* (Dt 11.26-28).

Em segundo lugar, o rolo está aberto (5.1). O rolo está aberto como um tapete, como um grande cartaz publicitário aéreo, flutuando no ar, expondo a malignidade do pecado. Os pecados praticados nas sombras do anonimato serão descobertos e revelados por esse público instrumento da propaganda divina. O que os homens fizeram, com a porta do quarto trancada, com a luz apagada, será exposto por esse grande *outdoor* voante. Nada ficará encoberto. Tudo estará exposto. Richard Phillips alerta sobre o fato de vivermos hoje numa sociedade tolerante ao pecado. Muitos pecam achando que jamais serão descobertos. Outros acreditam que, mesmo descobertos, jamais serão punidos. No entanto, todo pecado será descoberto. Nenhum passará despercebido.[8] Salomão é enfático: *Deus há de trazer a juízo todas as obras, até as que estão escondidas, quer sejam boas, quer sejam más* (Ec 12.14). A. W. Pink lança luz sobre essa realidade, ao escrever:

> Quão misterioso é este fato: nada se pode esconder de Deus! Apesar de Ele ser invisível a nós, nós não o somos para Ele. Nem mesmo a escuridão da noite, as cortinas mais fechadas ou a masmorra mais profunda podem esconder qualquer pecador dos olhos do Onisciente.

> As árvores do jardim não foram capazes de esconder nossos primeiros pais. Nenhum olho viu Caim assassinar seu irmão, mas seu Criador testemunhou o crime. Sara pode ter rido zombeteiramente no interior de sua tenda, porém foi ouvida por Jeová. Acã roubou uma barra de ouro e a enterrou cuidadosamente na terra, mas Deus a trouxe à luz. Davi teve trabalho para encobrir sua iniquidade, mas, pouco depois, o Deus que vê todas as coisas enviou um de Seus servos para repreendê-lo: *Tu és o homem.* Ao autor e ao leitor, também é dito: *Sabei que o vosso pecado vos há de achar* (Nm 32.23).[9]

Em terceiro lugar, o rolo está escrito dos dois lados (5.1-3). O rolo voante contém dois mandamentos da lei que foram quebrados. Assim como havia duas tábuas da lei, uma tratando do relacionamento do homem com Deus e a outra do relacionamento do homem com o seu próximo, assim o rolo voante continha também violações das duas tábuas da lei. F. B. Meyer diz que essas duas transgressões estavam muito conectadas. Os homens eram fraudulentos (Êx 20.15) e falsos (Êx 20.7). Aproveitavam-se de seus fregueses, se tivessem oportunidade, e depois, com o maior descaramento, mentiam para ocultar a fraude. Esses são pecados sempre presentes numa comunidade mercantil e são tão predominantes em Londres, Nova York e São Paulo quanto o eram na Jerusalém recém-restaurada.[10] Fica claro, portanto, que esses dois pecados (furto e falso testemunho) são pecados mercantis. Isso significa que o modo pelo qual o povo de Deus conduz seus negócios demonstra o caráter de sua adoração. Muitos, para auferirem lucros desonestos, roubam e mentem. Por amor à glória do mundo e amor ao dinheiro, adoram a Mamom e transformam Jerusalém em Babilônia.

Richard Phillips destaca o fato de que esses dois pecados mencionados (furto e falso testemunho) são especificamente enfatizados como problemas no período de Zacarias: *Eis as coisas que deveis fazer: Falai a verdade cada um com o seu próximo, executai juízo nas vossas portas, segundo a verdade, em favor da paz; nenhum de vós pense mal no seu coração contra o seu próximo, nem ame o juramento falso, porque a todas estas coisas eu aborreço, diz o* SENHOR (8.16,17).[11]

Concordo com Feinberg quando ele diz que os dois mandamentos (o oitavo e o terceiro) são tomados como representativos de toda a lei de Moisés.[12] O rolo, portanto, representa a lei de Deus, que traz maldição sobre todos aqueles que lhe desobedecem (Dt 27.26; Gl 3.10-12). Warren Wiersbe, ao fazer um diagnóstico da sociedade contemporânea, diz que hoje em dia a transgressão da lei está por toda a parte. A ética é algo estudado nas salas de aula, porém não praticado no mercado de trabalho, e os dez mandamentos são apenas artefatos empoeirados no museu da moralidade.[13]

Em quarto lugar, o rolo desvenda pecados contra Deus e contra o próximo (5.3). Dos dez mandamentos, dois são mencionados, o oitavo e o terceiro respectivamente. Aqui são denunciados os pecados de roubo e perjúrio. Crimes contra o próximo e contra Deus. Quebra da segunda e da primeira tábuas da lei.

Em quinto lugar, o rolo está voando (5.1). Esse rolo é levado até seu transgressor como um míssil teleguiado ou como uma ave de rapina que voa célere na direção de sua presa. O rolo está em movimento e apressa-se para atingir o seu alvo.

Em sexto lugar, o rolo percorre toda a terra (5.3). Esse juízo é universal. Atinge o povo da aliança e também as

A sexta visão: A malignidade do pecado e sua punição

nações que oprimiram o povo de Deus. O pecado é uma realidade universal, e sua punição atingirá todos os homens, em todos os lugares.

Em sétimo lugar, o rolo traz maldição à casa de todos os transgressores (5.3,4). Ninguém escapará da maldição do pecado. Mesmo àqueles que se escondem atrás de grossas muralhas ou se refugiam dentro de suas casas blindadas também chegará a maldição. A maldição entrará na casa do ladrão e na casa do que jurar falsamente pelo nome do Senhor, e ali pernoitará e consumirá a sua madeira e as suas pedras. É como se, a partir do momento em que a maldição pousasse sobre a casa, todo o seu material começasse a apodrecer, e o dono da casa pudesse muito bem adotar as palavras de Levítico: *Parece-me que há como que praga em minha casa.* Madeira e pedras, não importa quão torneadas e lapidadas, se desfazem, tornando-se cinza e pó. Que pavorosa realidade! Que terrível verdade![14]

Oh, o fruto do roubo não compensa! A ruína chegará irresistível e inevitavelmente sobre a casa daqueles que acumularam bens de maneira desonesta e ainda assim posaram de gente íntegra. A morada dessas pessoas será transtornada; o nome dessas pessoas se cobrirá de vergonha; e sua memória será maldita na terra.

Em oitavo lugar, o rolo vem de cima (5.1). Esse rolo vem de cima, do céu, indicando um julgamento procedente do trono de Deus. O próprio Deus produzirá a maldição, e ela realizará sua obra devastadora. Os pecadores não podem trancar-se em suas casas para proteger-se contra a maldição; ela entrará, a despeito dos esforços que eles façam. A destruição será completa, não deixando nenhum vestígio da casa, como acontecia à casa do leproso em Israel (Lv 14.45).[15]

A inevitável punição do pecado (5.3,4)

O povo que retornou da Babilônia estava recebendo mensagens de esperança. A cidade seria reconstruída; o sacerdócio e o governo civil seriam restaurados. O templo seria reconstruído. A presença e a proteção de Deus seriam uma realidade para eles. Seus inimigos seriam derrotados e a prosperidade de Deus os alcançaria. Porém, para que essas promessas fossem cumpridas e experimentadas, a lei de Deus precisava ser observada. Os mandamentos do Senhor precisavam ser obedecidos. Aqueles que, rebeldemente, se recusassem a viver em santidade, cometendo roubo e perjúrio, veriam seus pecados sendo descobertos e julgados. Esses seriam expulsos e consumidos pela maldição divina. Portanto, nas palavras de Baldwin, "era vital que os judeus não fracassassem de novo em ser luz para as nações".[16]

Nessa mesma linha de pensamento, J. Sidlow Baxter diz que, quando Deus estabelece Sua casa na terra (como na visão anterior), Sua palavra sai (como nessa presente visão) para julgar e sentenciar tudo o que não estiver em harmonia com tal casa. Não pode haver restauração da bênção do Senhor sem que o mal seja expulso.[17]

Diante do exposto, destacamos a seguir algumas lições solenes.

Em primeiro lugar, o pecado precisa ser punido porque é uma quebra da lei de Deus (5.3,4). O pecado é a transgressão da lei. A lei prescreve santidade, e o pecado rebela-se contra a lei para praticar o que é mal. O pecado insurge-se contra o amor ao próximo, para roubar o que lhe pertence, e também se insurge contra o amor a Deus, para fazer falsos juramentos em Seu nome. William Greathouse diz, acertadamente, que essas duas ordenanças que ficam no meio da segunda e da primeira tábuas do Decálogo devem ter como

A sexta visão: A malignidade do pecado e sua punição

propósito representar a totalidade da lei. Os dois lados do rolo simbolizam as duas tábuas da lei: a primeira tem a ver com a relação do homem com Deus, e a segunda, com a comunhão do homem com o seu próximo. Essa ideia nos lembra as palavras de Tiago no Novo Testamento: *Porque qualquer que guardar toda a lei e tropeçar em um só ponto tornou-se culpado de todos* (Tg 2.10).[18]

Em segundo lugar, o pecado precisa ser punido porque é um atentado contra o próximo (5.3). O pecado é a negação do amor ao próximo. E uma das evidências mais eloquentes da falta de amor ao próximo é a quebra do oitavo mandamento: *Não furtarás*. Num tempo em que as transações políticas, econômicas e comerciais são feitas com o sacrifício da verdade e da justiça, esse texto é um alerta altissonante.

Em terceiro lugar, o pecado precisa ser punido porque é um atentado contra Deus (5.3). O pecado é um atentado contra a santidade do nome de Deus. Toda vez que um homem faz um juramento, usando em vão o nome de Deus para esconder seus crimes, encobrir seus roubos, ocultar a verdade e aviltar a justiça, revela-se a necessidade do juízo divino sobre essa transgressão. Estou de pleno acordo com o que diz Feinberg: "O pecado nunca pode triunfar, porque ele é diametralmente oposto a tudo quanto Deus é e ama".[19]

Em quarto lugar, o pecado precisa ser punido porque traz maldição (5.3). O pecado é maligníssimo. Ele é pior do que a pobreza, a solidão, a enfermidade e a própria morte. O pecado nos priva do maior bem e atrai sobre nós o maior mal. O pecado é o labor cujo pagamento merecido é a morte. Ele traz maldição em suas asas.

Em quinto lugar, o pecado precisa ser punido porque traz afastamento da comunidade da fé e destruição (5.4). Aqueles que praticam o pecado serão julgados: expulsos (5.3), isto é, retirados, afastados, despejados e consumidos (5.4).

Concluímos este capítulo dizendo que Deus tem duas maneiras de lidar com o pecado. A primeira é através da graça, perdoando o pecador, redimindo-o pela graça, justificando-o pela fé e purificando-o para uma novidade de vida. Foi isso que vimos na quarta visão (3.1-10). O ensino das Escrituras é que a lei não foi dada para salvar as pessoas (Gl 2.16,21; 3.21), mas para revelar que as pessoas precisam ser salvas pela graça. O apóstolo Paulo diz que pela lei vem o pleno conhecimento do pecado (Rm 3.20). Porém, se o pecador rebeldemente persistir em sua transgressão e maldade e desprezar a graça, então o método divino de lidar com o pecado é o julgamento. O Senhor, sendo santo, não pode contemplar o mal; sendo justo, não pode inocentar o transgressor. O preceito divino é arrepender e viver; ou não se arrepender e morrer.

Notas

[1] MEYER, F. B. *Zacarias: o profeta da esperança*, p. 44.

[2] FEINBERG, Charles L. *Os profetas menores*, p. 274.

[3] HILL, Andrew E. *Haggai, Zechariah and Malachi*, p. 165.

[4] BALDWIN, J. G. *Ageu, Zacarias e Malaquias: introdução e comentário*, p. 103.

A sexta visão: A malignidade do pecado e sua punição

[5] FEINBERG, Charles L. *Os profetas menores*, p. 274-275.

[6] PHILLIPS, Richard D. *Zacarias*, p. 124.

[7] Ibidem, p. 125.

[8] Ibidem, p. 123.

[9] PINK, A. W. *The attributes of God.* Grand Rapids, MI: Baker House, 1975, p. 17-18.

[10] MEYER, F. B. *Zacarias: o profeta da esperança*, p. 44-45.

[11] PHILLIPS, Richard D. *Zacarias*, p. 122.

[12] FEINBERG, Charles L. *Os profetas menores*, p. 275.

[13] WIERSBE, Warren W. *Comentário bíblico expositivo.* Vol. 4, p. 566.

[14] MEYER, F. B. *Zacarias: o profeta da esperança*, p. 45.

[15] FEINBERG, Charles L. *Os profetas menores*, p. 275.

[16] BALDWIN, J. G. *Ageu, Zacarias e Malaquias: introdução e comentário*, p. 102.

[17] BAXTER, J. Sidlow. *Examinai as Escrituras — Ezequiel a Malaquias*, p. 276.

[18] GREATHOUSE, William M. O livro de Zacarias. In: *Comentário bíblico Beacon*, p. 310.

[19] FEINBERG, Charles L. *Os profetas menores*, p. 276.

Capítulo 9

A sétima visão: A remoção do pecado
(Zc 5.5-11)

A COMUNIDADE JUDAICA pós-exílica recebeu a promessa de que Jerusalém seria restaurada, o templo seria reconstruído e o culto verdadeiro seria restabelecido, com a restauração tanto do sacerdócio como do governo civil. Deus prometeu, ainda, habitar com o povo e protegê-lo como um muro de fogo. A glória de Deus voltaria a habitar com o povo da aliança. Como é impossível coexistirem a presença de Deus e o pecado, observamos na visão anterior que o pecado foi descoberto e julgado. Agora, nessa sétima visão, o pecado será removido.

William Greathouse diz que essa visão é muito mais rigorosa que a precedente, pois não é tanto o pecador como o princípio do pecado que precisa ser erradicado.[1] Concordo com Richard Phillips quando ele diz que a sétima visão forma uma só mensagem com a visão anterior. Depois de descoberto e julgado, o pecado é retratado como uma mulher em um cesto a ser removido da terra.[2]

J. Sidlow Baxter diz que quaisquer que sejam os significados dessa visão, o ponto em destaque é perfeitamente claro. Que os juramentos falsos e os furtos exarados no rolo volante (5.3) vão para o lugar a que de fato pertencem, a Babilônia, sede dos inimigos de Deus desde os dias de Ninrode (Gn 10.10)! Se o efa era o antigo símbolo judeu para o comércio, então a mulher no efa representaria a corrupção babilônica que estava fermentando o comércio entre o remanescente que voltou. O lugar adequado para tal corrupção não era Jerusalém, a cidade do Senhor, mas a cidade rival de Satanás, Babilônia. O próprio fato do novo zelo do Senhor por Sião significa uma intolerância renovada contra tudo o que é pecaminoso.[3]

O profeta é convocado a levantar os olhos e ver (5.5)

A sétima visão é uma das mais enigmáticas. Novamente, Zacarias escuta o anjo mensageiro falar-lhe. Não basta ouvir a voz do anjo. O profeta é ordenado a levantar os olhos e ver. Trata-se de mais um emissário da providência. Um efa que sai, correndo pelos ares, como mensageiro do Senhor dos Exércitos, a cumprir Sua ordem.

O profeta pergunta o significado da visão (5.6)

O profeta vê um efa que sai. O efa era a maior medida de grãos usada em Israel, na forma de um cesto (Rt 2.17; 1Sm 1.24). Não se sabe ao certo sua capacidade. Pode variar entre 22 a 36 litros. O uso dessa figura provavelmente

A sétima visão: A remoção do pecado

está associado ao roubo praticado pelos comerciantes, que vendiam uma medida de grãos e entregavam uma quantidade menor, como o efa minguado denunciado pelo profeta Amós (Am 8.5). Assim, o profeta ainda estaria tratando da visão anterior, na qual o rolo voante trazia a denúncia de roubo, ou seja, a quebra do oitavo mandamento.

Dentro desse efa, havia uma mulher presa por uma tampa de chumbo. Essa mulher era a personificação da iniquidade de toda a terra. O pecado tem nome, tem cara, tem identidade. Quando a tampa foi aberta, a mulher tentou escapar, mas foi lançada para dentro do efa e lacrada por uma pesada tampa de chumbo. A iniquidade tenta escapulir, e os pecadores tentam fugir, mas ficam prisioneiros dentro de seus próprios instrumentos de iniquidade. O efa que lhes trouxe um lucro desonesto, a riqueza que adquiriram com fraude, irá mantê-los presos com tampas de chumbo.

De repente a cena muda, e o profeta tem outra visão. Ele vê duas mulheres aladas, com asas como de cegonha, que levantavam o efa entre a terra e o céu. O profeta pergunta ao anjo mensageiro para onde essas mulheres estavam levando o efa. Ele responde que elas estavam levando o efa com a mulher para a terra de Sinear na Babilônia, onde uma casa, ou templo, seria edificada para ela, pois ali ela seria posta em seu próprio lugar.

O que essa sétima visão tem a nos ensinar?

O pecado é descrito (5.5-8)

A visão do efa com uma mulher, personificação da iniquidade, enseja-nos algumas lições, como vemos a seguir.

Em primeiro lugar, o pecado do mercantilismo desonesto é uma ofensa a Deus e ao próximo (5.5,6). A iniquidade habita onde as medidas do comércio são corrompidas pela ganância e pela avareza. O efa minguado já havia sido denunciado pelo profeta Amós como uma prática iníqua (Am 8.5). A fraude nos negócios, a adulteração de produtos e o uso de pesos e medidas falsos são uma iniquidade que ofende o caráter justo de Deus e rouba o próximo, pervertendo todas as relações comerciais. O engano e a esperteza são usados sem escrúpulo, em nossos dias, nos tratados internacionais e nos pequenos e grandes negócios em todos os setores da sociedade.

Em segundo lugar, a iniquidade é uma realidade universal (5.6). O pecado é uma realidade presente não apenas nas nações pagãs, mas também entre o povo da aliança. Toda a terra está manchada pela poluição do pecado. Todos pecaram. Não há justo, nenhum sequer.

Em terceiro lugar, a iniquidade é personificada (5.6-8). A mulher dentro do efa era a personificação do pecado, o emblema da iniquidade. Era a própria impiedade. Isso significa que o mal tem rosto e o pecado tem identidade. Não é algo apenas abstrato, mas tem nome, tem cara, tem personificação. Richard Phillips está correto quando diz:

> O pecado não é algo que simplesmente acontece "lá fora". O pecado é cometido por pecadores: por pessoas com as quais cruzamos na rua, por pessoas com quem trabalhamos e vivemos e ao lado de quem nos sentamos na igreja. O pecado é cometido por nós. Os pecados do povo de Deus colocados em um cesto não eram apenas angústias sociais abstratas. Eles não eram resultados de um ambiente ruim, educação deficiente ou pobreza. São obras das próprias pessoas. Todo israelita que ouvisse esta visão deveria ver seu próprio rosto naquela mulher do cesto. Ao ler esses versículos, você deve entender: "Eis que

A sétima visão: A remoção do pecado

foi levantada a tampa de chumbo, e dentro do cesto estava alguém que parecia comigo".[4]

Em quarto lugar, a iniquidade é sedutora (5.6,7). A figura da mulher é usada na Bíblia como um símbolo de sedução. O pecado é atraente aos olhos e sugestivo ao paladar. O lucro no comércio, simbolizado pelo efa, tem sido atraente ainda hoje. Muitas pessoas roubam a Deus e fazem juramentos, tomando o nome de Deus em vão, apenas para se locupletarem. Corrompem e são corrompidos. Por amor ao dinheiro, mentem, roubam, matam, morrem.

Em quinto lugar, a iniquidade tenta escapar (5.8). A mulher presa dentro do efa era a própria impiedade. Baldwin diz que a palavra "impiedade" é feminina e, por isso, foi personificada pela mulher. A impiedade inclui infrações civis, éticas e religiosas.[5] Quando o efa foi aberto, a mulher, personificação da iniquidade e da impiedade, tentou escapar e fugir. Foi necessário lançá-la de volta ao fundo do caixote e trancá-la com uma pesada tampa de chumbo. Assim é o pecado. Ele faz suas arruaças e tenta escapar. Ele destrói a relação do homem com Deus e com o próximo e tenta fugir.

Em sexto lugar, a iniquidade só pode ser contida e levada a juízo pela força divina (5.8-11). O pecado não pode ser contido nem removido, exceto por uma força sobrenatural. Somente o poder de Deus pode levar a cabo o julgamento do mal e removê-lo. Baldwin diz que retirar a maldade foi um ato da graça por parte de Deus, que guarda a aliança, como o fora retirar as vestes sujas de Josué (3.4). Além disso, o vento, *ruash*, estava em suas asas. Assim poderíamos dizer que o Espírito estava em suas asas, enfatizando que quem retira a maldade é Deus.[6]

O pecado é removido (5.9-11)

A segunda visão do profeta traz as duas mulheres aladas, com asas de cegonha, movidas pelo vento, levantando o efa entre a terra e o céu e carregando o efa com a mulher para a Babilônia, a fim de que a mulher fique ali, numa casa, em seu próprio lugar. Essa visão enseja-nos algumas lições.

Em primeiro lugar, o pecado só será removido por uma ação divina (5.9). Essas duas mulheres, com asas como de cegonha e vento em suas asas, levantam e transportam esse efa com a mulher para longe, de Jerusalém para Sinear, na Babilônia. A cegonha tem asas longas e largas. É também uma ave migratória. Não teria a menor dificuldade em percorrer a distância entre Jerusalém e a Babilônia.[7]

A iniquidade seria tirada do povo de Deus e levada para longe, para a Babilônia, para a terra das prostituições, das abominações, das idolatrias e feitiçarias. A Babilônia era sede da apostasia e de cultos demoníacos. A iniquidade, então, seria lançada em seu próprio lugar, na terra da primeira rebelião contra Deus, no território que é símbolo de oposição a Deus. Greathouse diz que a Babilônia tem a significação geral de ser a contraparte da Terra Santa. É o epítome da maldade. E Zacarias não está satisfeito com o mero ritual da expiação do pecado (3.1-10), nem mesmo com a punição divina da transgressão (5.1-4). O poder vivo do pecado tem de ser banido de Israel; e esse banimento não pode ser feito por esforços humanos, mas somente pela ação de Deus, que é completa e eficaz.[8]

As duas mulheres aladas, com asas de cegonha e vento em suas asas, que levam o efa com a mulher, emblema da iniquidade e da impiedade, para a terra de Sinear, apontam tanto para a obra de Cristo como para a obra transformadora do Espírito Santo. Essas duas mulheres que

A sétima visão: A remoção do pecado

transportam o cesto são auxiliadas pelo vento, símbolo do sopro de Deus, emblema do Espírito de Deus. O que no Antigo Testamento é promessa, no Novo Testamento torna-se experiência. O apóstolo Paulo testemunha:

A lei do Espírito da vida, em Cristo Jesus, te livrou da lei do pecado e da morte. Porquanto o que fora impossível à lei, no que estava enferma pela carne, isso fez Deus enviando o seu próprio Filho em semelhança de carne pecaminosa e no tocante ao pecado; e, com efeito, condenou Deus, na carne, o pecado, a fim de que o preceito da lei se cumprisse em nós, que não andamos segundo a carne, mas segundo o Espírito (Rm 8.2-4).

O pecado só pode ser removido por causa da obra de Cristo na cruz e pela aplicação da redenção em nosso coração pelo Espírito Santo, quando cremos no Filho de Deus. Cristo morreu pelos nossos pecados segundo as Escrituras (1Co 15.3). Ele pagou a nossa dívida (Cl 2.13,14). Ele se fez pecado por nós para que fôssemos feitos justiça de Deus (2Co 5.21). Ele se fez maldição em nosso lugar (Gl 3.13) para que nossos pecados fossem afastados de nós, como o Oriente se afasta do Ocidente (Sl 103.12).

São consoladoras as palavras de F. B. Meyer:

A impiedade pode estar firmemente arraigada, mas será finalmente removida quando Deus se levantar em favor do seu povo. Você suspira e clama contra a impiedade? Deseja que alguma forma terrível dela, que tem afligido sua vida por muito tempo, seja eliminada? Sinta o estímulo que esta visão lhe dá! Erga os olhos e contemple as asas ligeiras como de cegonhas, e a brisa favorável que as impele para a frente ao se apressarem em executar o mandado de Deus.[9]

Em segundo lugar, o pecado habitará num lugar edificado para ele. A casa ou templo é construído especificamente para abrigar essa mulher, personificação da iniquidade e da impiedade. Há um lugar preparado para os filhos de Deus e também há um lugar preparado para o diabo e seus anjos, um lugar onde serão lançados todos aqueles cujos nomes não forem encontrados no livro da vida. Será um lugar de trevas, choro e ranger de dentes, onde os ímpios serão banidos para sempre da presença de Deus.

Em terceiro lugar, o pecado habitará num lugar apropriado para ele. O pecado habitará em seu próprio lugar. Sinear aqui é um emblema, um símbolo. Sinear era o nome antigo da região onde ficavam as cidades de Babilônia, Ereque e Acade (Gn 10.10), desde seus primórdios consideradas avessas aos caminhos de Deus (Gn 11.1-9). Esse era o lugar da torre de Babel (Gn 11), local da primeira oposição e rebelião organizada do mundo contra o Altíssimo.

H. C. Leupold diz que Sinear representa o mundo, de modo geral, em contraste com a igreja. Sinear segue os princípios da iniquidade. Então, a iniquidade obterá cada vez mais iniquidade.[10] O pecado será lançado num lugar próprio, onde sempre foi adorado, servido, amado. É ali, longe do povo de Deus, que o pecado será lançado. Fica claro que não podia haver nada em comum entre o culto ao Deus verdadeiro e a idolatria da Babilônia. Eram como polos opostos. Charles Feinberg tem razão ao dizer que a impiedade deve permanecer onde teve sua origem e no lugar ao qual sempre pertenceu. O ciclo da impiedade, por assim dizer, está completo. A impiedade em todas as formas finalmente voltou ao lar.[11]

Outros profetas de Deus já haviam apontado para essa vitória sobre o pecado. Jeremias já havia falado de um coração novo, um coração de carne (Jr 32.39,40). Ezequiel já havia falado sobre lavar as impurezas com aspersão de água pura (Ez 36.25). Davi já havia falado sobre Deus afastar os

A sétima visão: A remoção do pecado

pecados do Seu povo como o Oriente se afasta do Ocidente (Sl 103.12). O mal é uma força, mas uma força firmemente controlada por Deus. O Senhor dos Exércitos tem o mal sob controle.

O apóstolo João, no livro de Apocalipse, mostra o julgamento dessa Babilônia, também chamada de Grande Meretriz (Ap 17.1): *Achava-se a mulher vestida de púrpura e de escarlata, adornada de ouro, de pedras preciosas e de pérolas, tendo na mão um cálice de ouro transbordante de abominações e com as imundícias da sua prostituição. Na sua fronte, achava-se escrito um nome, um mistério: BABILÔNIA, A GRANDE, A MÃE DAS MERETRIZES E DAS ABOMINAÇÕES DA TERRA* (Ap 17.4,5). A Babilônia é o lugar para onde o pecado foi levado e colocado num templo, longe do domínio de Deus. Então, Apocalipse passa a mostrar o julgamento do mundo pecaminoso: *Caiu, caiu a grande Babilônia e se tornou morada de demônios, covil de toda espécie de espírito imundo [...] e será consumida no fogo, porque poderoso é o Senhor Deus, que a julgou [...] [e] a sua fumaça sobe pelos séculos dos séculos* (Ap 18.2,8; 19.3).

A visão de Zacarias não foi plenamente cumprida em seus dias. Ela aponta para o tempo do fim. Porém, ensina-nos dois princípios importantes segundo Richard Phillips. Primeiro, o reino de Deus é incompatível com o pecado. O povo de Deus deve ser santo como Deus é santo (1Pe 1.16). Deus não habitará com o pecado; um dos dois tem de partir. Segundo, o pecado será removido completa e cabalmente, pois na cidade santa *nunca jamais penetrará coisa alguma contaminada, nem o que pratica abominação e mentira, mas somente os inscritos no livro da vida do Cordeiro* (Ap 21.27).[12]

Notas

[1] GREATHOUSE, William M. O livro de Zacarias. In: *Comentário bíblico Beacon*, p. 311.

[2] PHILLIPS, Richard D. *Zacarias*, p. 126.

[3] BAXTER, J. Sidlow. *Examinai as Escrituras — Ezequiel a Malaquias*, p. 277.

[4] PHILLIPS, Richard D. *Zacarias*, p. 126-127.

[5] BALDWIN, J. G. *Ageu, Zacarias e Malaquias: introdução e comentário*, p. 104.

[6] Ibidem.

[7] MEYER, F. B. *Zacarias: o profeta da esperança*, p. 46.

[8] GREATHOUSE, William M. O livro de Zacarias. In: *Comentário bíblico Beacon*, p. 312.

[9] MEYER, F. B. *Zacarias: o profeta da esperança*, p. 46-47.

[10] LEUPOLD, H. C. *An Exposition of Zechariah*. Grand Rapids, MI: Baker House, 1971, p. 108.

[11] FEINBERG, Charles L. *Os profetas menores*, p. 279.

[12] PHILLIPS, Richard D. *Zacarias*, p. 128-129.

Capítulo 10

A oitava visão: O juízo de Deus sobre as nações opressoras
(Zc 6.1-8)

As OITO VISÕES de Zacarias trazem o consolo da parte de Deus para o povo oprimido de Judá e Seu juízo às nações opressoras. São similares aos julgamentos de Deus registrados no livro de Apocalipse. Por isso, essas visões de Zacarias são adequadamente chamadas de "o Apocalipse do Antigo Testamento".[1]

Essa oitava visão é a última que Zacarias teve naquela mesma noite. Que noite! E a oitava visão está estreitamente conectada com a primeira visão. Há muitas semelhanças e contrastes entre essas duas visões, como podemos ver.

Na primeira visão, o cenário era um vale profundo cheio de murteiras, plantas viçosas; na oitava visão, o cenário era composto por duas montanhas de bronze.

Na primeira visão, Zacarias vê cavaleiros montados em cavalos; na oitava visão, Zacarias vê carros de guerra puxados por cavalos vermelhos, pretos, brancos e baios. Esses carros de guerra eram os armamentos bélicos mais formidáveis daquele tempo (1Rs 10.28,29). Eram também usados em grandes solenidades e tornaram-se símbolos de autoridade e poder invencíveis (Sl 68.17; Is 66.15; Hc 3.8; Ag 2.22).[2]

Na primeira visão, os cavaleiros estão de volta, trazendo seus relatórios ao Anjo do Senhor; na oitava visão, os carros saem para levar a cabo a comissão do Senhor. Feinberg diz que os carros punham em operação os decretos do juízo divino. Assim se completa o ciclo da verdade.[3] Ampliando esse pensamento, Dionísio Pape ressalta que a primeira visão era de quatro cavalos, sem carro, voltando de uma missão, como patrulha divina. Nessa última visão, os outros quatro cavalos, equipados com carro de guerra, saem para uma nova missão. Partem para os quatro pontos cardeais, dominando assim toda a terra. O anjo intérprete explica que eles cumprem a soberana vontade de Deus na terra. Por trás dos acontecimentos políticos, vê-se a segura mão divina controlando tudo. O Senhor dos Exércitos reina desde Sião![4]

Na primeira visão, Zacarias vê os cavaleiros saindo para patrulhar a terra, a fim de trazer um relatório; na oitava visão, os carros saem para exercer juízo às nações, tanto do Norte quanto do Sul, que oprimiram o povo de Deus. F. B. Meyer destaca que, contra a terra do Norte, onde estavam Assíria e Babilônia, saíram carros cujos cavalos pretos representavam derrota e desespero, enquanto os brancos

A oitava visão: O juízo de Deus sobre as nações opressoras

representavam os sucessos de alguns dos povos conquistadores diante dos quais a Babilônia cairia ao pó — uma predição que foi provavelmente cumprida ao surgir o terceiro grande reino mundial da Grécia, sob Alexandre, o Grande. Já os cavalos baios saíram em direção à terra do Sul e representavam as experiências contraditórias — em parte desastre e em parte prosperidade — que recairiam sobre o Egito, ao sul da fronteira com a Terra Santa.[5]

Na primeira visão, os batedores de Deus trazem um relatório afirmando que as nações poderosas estão em paz, enquanto Jerusalém está passando grandes aflições após a volta do exílio, com muitos escombros, muros quebrados, portas queimadas, a construção do templo interrompida, o povo desanimado, os líderes sem autoridade espiritual e os inimigos à volta; na oitava visão, os carros vão executar a ira divina como agentes da vingança de Deus contra as nações do Norte e do Sul, os grandes inimigos do povo de Deus, e afirmam que o Espírito de Deus está em paz. Richard Phillips é esclarecedor quando escreve:

> A primeira e a última visões contêm cavaleiros divinos e falam da relação de Jerusalém com as nações. A primeira fala de um mundo em paz, em que os opressores de Israel descansam seguros. Esta última visão mostra Deus perturbando aquela falsa paz com o juízo contra as nações. Entre essas duas visões, Deus trata do povo judeu e de seus problemas internos. O resultado de toda a série de visões é uma mensagem de encorajamento, junto a uma exortação para edificar o templo e renovar espiritualmente a nação.[6]

Concordo com William Greathouse quando ele diz que essa visão revela o controle de Deus sobre todas as forças destrutivas usadas pelo Senhor na punição dos povos merecedores da Sua ira.[7] Vamos destacar dois pontos importantes para a nossa reflexão na análise dessa passagem.

O significado da visão

Zacarias vê quatro carros, puxados por cavalos fortes vermelhos, pretos, brancos e baios, saindo dentre dois montes de bronze. Esses quatro carros eram os quatro ventos do céu, que saem da presença e da parte do Senhor de toda a terra. Os cavalos pretos e brancos saem para a terra do Norte, e os cavalos baios, para as terras do Sul. Esses cavalos fortes saem forcejando para andar avante, cumprindo a ordem do Senhor de irem e percorrer a terra. O profeta é informado que aqueles que saíram para o Norte fazem repousar o Espírito de Deus na terra do Norte.

Destacamos a seguir alguns pontos importantes.

Em primeiro lugar, o significado dos montes de bronze (6.1). Esses dois montes, muito provavelmente Sião e Oliveiras, podem representar a proteção de Deus ao Seu povo, pois o bronze na Bíblia é símbolo de poder e juízo. Por essa causa, Charles Feinberg defende que esses montes são de bronze para indicar a justiça de Deus no juízo que Ele exercerá sobre as nações opressoras (Sl 36.6).[8] Outrossim, Jeremias foi chamado de muro de bronze para representar sua invencibilidade contra os ataques (Jr 1.18). Alinhado com esse pensamento, Baldwin diz que esse provavelmente é o significado do bronze nessa visão. Ninguém pode conquistar a moradia celestial de Deus.[9] Warren Wiersbe, por sua vez, observa que, nas Escrituras, o bronze com frequência também simboliza julgamento. O altar do sacrifício no tabernáculo e no templo era de madeira revestida de bronze, e nele o pecado era julgado quando os sacrifícios eram queimados. A serpente que

A oitava visão: O juízo de Deus sobre as nações opressoras

Moisés colocou na haste era feita de bronze (Nm 21.9) e, quando o Senhor apareceu a João e estava prestes a julgar as igrejas, Seus pés foram comparados a bronze, refinados numa fornalha (Ap 1.15).[10]

Em segundo lugar, o significado dos cavalos vermelhos, pretos, brancos e baios (6.2,3). O que distingue os quatro carros é a cor dos cavalos atrelados a eles. A cor dos cavalos representava a comissão que seus condutores levavam às diferentes nações que haviam assolado o povo judeu.[11] Os cavaleiros montados da primeira visão remetiam à onisciência e soberana onipresença de Deus. Já os cavalos que puxam esses carros tratam das tropas de choque, como tanques modernos, que saíram não para patrulhar, mas para esmagar as forças inimigas.

Baldwin acredita que esses cavalos simbolizam a iniciativa de Deus em assuntos internacionais.[12] Se compararmos esses cavalos com aqueles da abertura dos sete selos de Apocalipse 6.3-8, poderíamos dizer que os cavalos vermelhos remetem a guerra, espada e derramamento de sangue. Os cavalos pretos remetem a aflição e morte. Os cavalos brancos remetem a vitória sobre os inimigos. E os cavalos baios remetem a todo tipo de peste.[13]

Em terceiro lugar, o significado dos carros (6.5-8). Eles são parte do exército angelical de Deus. O avanço deles representa a ação divina no mundo. Se os cavaleiros da visão falam sobre a onisciência perscrutadora no mundo, esses carros apontam para os agentes de Deus que saem para fazer Sua vontade. Salmo 68.17 lança luz sobre esses carros: *Os carros de Deus são vinte mil, sim, milhares de milhares.* Isso significa que Deus é capaz de garantir que todos os Seus inimigos sejam subjugados e que Sua vontade prevaleça em toda a terra.

Destacamos a seguir duas verdades solenes.

Primeira, os carros são ventos do céu (6.5). O vento é outro importante agente de Deus. Portanto, os cavalos são mensageiros de Deus, como os ventos, e como estes percorrem a face de toda a terra. Toda a terra pertence ao Senhor, quer seus habitantes reconheçam isso quer não, e Ele dá ordens com respeito a tudo.[14] Segundo a visão de Ezequiel (Ez 1.4), esse vento é tempestuoso, e não apenas uma brisa. O próprio Senhor toma as nuvens por Seu carro e voa nas asas do vento, fazendo de Seus anjos e de Seus ministros labaredas (Sl 104.3,4). Anjos, carros, vento impetuoso e chamas ardentes são agentes invisíveis e invencíveis de Deus que cumprem Suas ordens e realizam Sua vontade soberana.

Segunda, os carros saem da presença do Senhor (6.5). Deus habita na sala de comando do universo. É de Seu trono que saem as ordens. É Deus quem tem nas mãos as rédeas da história. É Ele quem levanta e abate reinos. É Ele quem levanta e abate reis. Deus está entronizado, e Seus agentes estão prontos a saírem em disparada, como cavalos mordendo os freios, forcejando com ânsia de partir, levados pelo vento, para cumprir as Suas ordens soberanas. Concordo com F. B. Meyer quando ele diz que, se Satanás percorre a terra (Jó 1.7; 2.2), buscando a quem possa ferir, os carros de Deus também a percorrem, para levar socorro e libertação aos santos.[15]

Em quarto lugar, a missão dos carros levados pelos cavalos pretos e brancos (6.6-8). Seguidos dos cavalos brancos, os cavalos pretos saíram da presença do Senhor, para a terra do Norte, a fim de cumprir o desiderato do Senhor. F. B. Meyer diz que esses cavalos pretos representavam derrota e desespero, enquanto os cavalos brancos representavam os sucessos de alguns dos povos conquistadores, diante dos

A oitava visão: O juízo de Deus sobre as nações opressoras

quais a Babilônia cairia ao pó.[16] Ao cumprirem sua missão na terra do Norte, fizeram repousar o Espírito do Senhor na terra do Norte. Na terra do Norte, ficava o poderoso Império Assírio, que havia tomado o Reino do Norte em 722 a.C., e também a Babilônia, que havia tomado Jerusalém e dominado o Reino do Sul em 586 a.C. Essa era a direção de onde procedera a maior desgraça sobre o Reino do Norte e o do Sul, respectivamente. Desses dois poderosos impérios, tinham vindo a derrocada do povo de Deus. Se os cavalos pretos levam fome e morte para lá, como uma das grandes pragas de Deus pelas quais a impiedade é castigada, os cavalos brancos impõem uma derrota acachapante a esses reinos, mostrando a plena vitória de Deus sobre aqueles que oprimem o povo de Deus. Richard Phillips diz que essas manobras mostram o juízo de Deus contra aqueles que se opõem ao Seu povo e o oprimem.[17]

Em quinto lugar, a missão dos carros levados pelos cavalos baios (6.6). Nada nos é informado sobre a missão dos cavalos vermelhos, mas nos é dito que os cavalos baios rumaram para o sul, isto é, para o Egito, outro representante do poder secular pagão e outra grande ameaça ao povo de Deus. Esses cavalos marcharam céleres levando seu múltiplo juízo de morte pela espada, pela fome e pela peste a esses históricos inimigos do povo de Deus.

Em sexto lugar, os cavalos que saem para a terra do Norte fazem repousar o Espírito de Deus na terra do Norte (6.8). Richard Phillips diz, com razão, que o Espírito de Deus se perturbou pelas aflições de Seu povo naquele lugar. Até que o carro dos cavalos pretos enviasse desgraça e morte e os cavalos brancos chegassem para destruir os inimigos de Deus, Seu próprio Espírito ficava inquieto. Mas, vendo esses carros saindo, Deus fala sobre Seu Espírito repousando sobre aquele lugar, tendo Sua forte ira cessado com o conhecimento de que eles levavam a vingança.[18] Com a vitória retumbante sobre a terra do Norte e este inimigo vencido, a obra estava concluída. Não havia mais nada a fazer. F. B. Meyer aponta que o Espírito de Deus é descrito como acalmado pela queda dos Seus inimigos, enquanto os Seus escolhidos habitam dentro dos limites de Sua poderosa proteção. Eis a promessa divina: *O meu povo habitará em moradas de paz, em moradas bem seguras, e em lugares quietos e tranquilos* (Is 32.18).[19]

As implicações da visão

Depois de examinar essa oitava e última visão, podemos extrair dessa enigmática passagem algumas lições.

Em primeiro lugar, a igreja de Deus não precisa se intimidar diante da grandeza de seus inimigos. O povo de Judá que voltara do cativeiro estava pobre, desencorajado, cercado de inimigos, sem templo, debaixo de escombros, enquanto as potências militares ao seu redor repousavam em aparente paz. Judá era um pequeno povo em termos econômicos, políticos e militares. Não tinha importância no cenário mundial. Mas esse povo era a menina dos olhos de Deus (2.8). O Senhor tinha ciúmes do Seu povo e velava por ele. O Senhor derrubou seus inimigos e sustentou o Seu povo. Esse é o retrato da igreja ainda hoje. Somos um pequeno rebanho. Não temos força política, militar ou econômica para enfrentar a amarga oposição do mundo, mas é Deus quem luta as nossas guerras. É de Deus que vem a nossa vitória. Maior é Aquele que está em nós do que aquele que está no mundo. É de Deus que vem o nosso socorro. Não devemos temer o mundo; devemos temer a Deus. Ele

A oitava visão: O juízo de Deus sobre as nações opressoras

se mostra forte para com aqueles cujo coração é totalmente dEle (2Cr 16.9).

Em segundo lugar, os poderosos deste mundo que se insurgem contra Deus e contra a Sua igreja terão de enfrentar a ira de Deus. De Deus não se zomba. Ele tem zelo pelo Seu próprio nome e ciúmes do Seu povo. Aqueles que perseguem o povo de Deus tocam na menina dos olhos de Deus. Seu Espírito não repousará até que Seus inimigos sejam julgados por Ele. Obviamente, quando Zacarias recebeu essa visão, as nações poderosas do Norte e do Sul não se sentiam ameaçadas. Assim também ocorre hoje. Os que se levantam contra a igreja zombam da nossa fé, escarnecem das Escrituras e fazem troça do nosso Redentor, mas eles cairão e não suportarão a ira do Todo-poderoso quando Ele se levantar para o juízo. Não precisamos tomar essa vingança em nossas mãos. O Senhor luta por nós. Nas palavras de Richard Phillips, Deus mesmo nos vingará e transformará nossa vergonha em glória, nosso distúrbio em paz e nossa perda em recompensa.[20] Concordo com Warren Wiersbe quando ele diz que a visão de Zacarias garante que Deus está no controle do futuro e julgará as nações que oprimiram o Seu povo. Deus é longânimo (2Pe 3.9), mas chega um momento em que as nações enchem *a medida da iniquidade* (Gn 15.16; Mt 23.32), quando o julgamento deve recair sobre elas.[21]

Em terceiro lugar, a força da igreja não é econômica, política ou militar, mas espiritual. Para enfrentar o poder econômico, político e militar dos opressores da igreja, Deus tem Seus carros e cavalos, Seus anjos fortes em força e poder. Consequentemente, nosso papel não é buscar essa mesma natureza de poder do mundo. Esse poder será abatido quando os agentes de Deus, como cavalos resfolegantes, saírem puxando suas carruagens de guerra. Richard Phillips observa que a segurança de Jerusalém não se baseia em espadas, cavalos e carros que a cidade pudesse obter para si, mas em carros que saíam daqueles montes de bronze. Isso é igualmente verdadeiro hoje. Nossa igreja, como igreja de Jesus Cristo, vem não de vencer eleições, aprovar leis nas principais cidades, obter controle da mídia ou alcançar sucesso na arrecadação de recursos financeiros. Antes, a igreja avança pela graça de Deus, com o poder da verdade e a autoridade convincente da santidade.[22]

Em quarto lugar, a história caminha para a consumação final, e a vitória será de Cristo e da Sua igreja. Os reinos deste mundo cairão, e o reino de Cristo triunfará. Os poderes da terra entrarão em colapso, mas a igreja de Cristo reinará em glória com Cristo. A grande Babilônia, com toda a sua riqueza e pompa, cairá, mas a cidade santa, a Nova Jerusalém, como noiva adornada para Seu povo, será glorificada. A igreja, a cidade cujo arquiteto e edificador é Deus (Hb 11.10), triunfará sobre Seus inimigos. O mundo e sua aparência passará (1Co 7.31), mas a igreja vitoriosa e gloriosa reinará pelos séculos dos séculos.

NOTAS

[1] GREATHOUSE, William M. O livro de Zacarias. In: *Comentário bíblico Beacon*, p. 314.

[2] Ibidem, p. 313.

[3] FEINBERG, Charles L. *Os profetas menores*, p. 279.

[4] PAPE, Dionísio. *Justiça e esperança para hoje*, p. 118.

[5] MEYER, F. B. *Zacarias: o profeta da esperança*, p. 47-48.

[6] PHILLIPS, Richard D. *Zacarias*, p. 133.

A oitava visão: O juízo de Deus sobre as nações opressoras

[7] GREATHOUSE, William M. O livro de Zacarias. In: *Comentário bíblico Beacon*, p. 314.

[8] FEINBERG, Charles L. *Os profetas menores*, p. 280.

[9] BALDWIN, J. G. *Ageu, Zacarias e Malaquias: introdução e comentário*, p. 106.

[10] WIERSBE, Warren W. *Comentário bíblico expositivo.* Vol. 4, p. 567.

[11] MEYER, F. B. *Zacarias: o profeta da esperança*, p. 47.

[12] BALDWIN, J. G. *Ageu, Zacarias, Malaquias: introdução e comentário*, p. 106.

[13] PHILLIPS, Richard D. *Zacarias*, p. 134.

[14] BALDWIN, J. G. *Ageu, Zacarias e Malaquias: introdução e comentário*, p. 106.

[15] MEYER, F. B. *Zacarias: o profeta da esperança*, p. 48.

[16] Ibidem, p. 47.

[17] PHILLIPS, Richard D. *Zacarias*, p. 137.

[18] Ibidem.

[19] MEYER, F. B. *Zacarias: o profeta da esperança*, p. 48.

[20] PHILLIPS, Richard D. *Zacarias*, p. 139.

[21] WIERSBE, Warren W. *Comentário bíblico expositivo.* Vol. 4, p. 568.

[22] PHILLIPS, Richard D. *Zacarias*, p. 140.

Capítulo 11

A coroação do Messias
(Zc 6.9-15)

CHEGAMOS A UM PONTO de transição no estudo do livro de Zacarias. As visões cessaram, mas a revelação divina verbal e mais convencional continuou. A expressão *A palavra do SENHOR veio a mim* (6.9) substitui o que lemos nas passagens anteriores: *Levantei os olhos e vi.*

As visões tiveram como propósito encorajar os exilados que haviam retornado a recobrarem o ânimo para reconstruír o templo. Deus mostrou a esses judeus empobrecidos que Ele tinha zelo por Jerusalém, que a cidade seria ampla e próspera, e que as nações opressoras seriam julgadas. Deus mostrou que o sucesso na reconstrução do templo e da cidade não seria resultado da capacidade humana, mas do poder do Espírito Santo. Agora, Deus mostra que a maior glória da cidade e do templo não estava no passado, mas no futuro. A reconstrução seria apenas um emblema do verdadeiro templo que seria construído pelo Messias, um templo feito não com pedras e embelezado por mármore e bronze, mas um templo de pedras vivas, verdadeira habitação de Deus. Concordo com as palavras de Richard Phillips de que o ato simbólico que ocorre aqui é uma conclusão pertinente às visões que o profeta recebeu.[1] Baldwin diz corretamente que a inclusão dos versículos 9-15 após a última visão aponta para quem o templo fora feito (Ml 3.1).[2]

Zacarias recebe ordem para usar o ouro e a prata que os três exilados recém-chegados da Babilônia a Jerusalém, Heldai, Tobias e Jedaías, haviam trazido para cooperar na reconstrução do templo; com esses materiais, ele deveria fazer coroas e colocá-las sobre a cabeça de Josué, o renovo. A grande maioria dos judeus não tinha retornado à terra de seus ancestrais, mas permanecia nas terras para as quais tinham sido exilados, onde muitos viviam, naquele momento, confortavelmente. A delegação chegou com uma oferta, provavelmente para a reconstrução do templo.[3]

Já de início, temos uma dificuldade a sanar. Os reis, e não os sacerdotes, eram coroados. Mas a coroa deveria ser colocada sobre a cabeça de Josué, o sumo sacerdote, e não sobre a cabeça de Zorobabel. Phillips diz que é possível haver uma ligação dessa passagem com a visão de Apocalipse 19.12, em que o Senhor montado num cavalo branco é visto com "muitos diademas" sobre a cabeça. A ideia em ambas as passagens provavelmente é a mesma: uma coroa de múltiplas camadas, a qual, no caso de Zacarias, era feita de prata e ouro.[4]

A coroação do Messias

Fica evidente que esse coroamento não era para que ele governasse o povo politicamente, pois a coroa foi retirada em seguida ao ato da coroação para ser guardada no templo como memorial. O profeta Zacarias já havia dito que Josué e Zorobabel eram homens de presságio (3.8), ou seja, eram sinais para a nação. Eles apontavam para um outro alguém, para o Messias, para o único que abrigou em si mesmo os ofícios de sacerdote e rei e edificou o verdadeiro templo, a morada de Deus.

A passagem em apreço nos ensina algumas verdades preciosas, que passamos a considerar a seguir.

O Messias tipificado (6.9-11)

Como já dissemos, os três judeus exilados na Babilônia trouxeram ouro e prata com o propósito de ajudar os judeus que haviam retornado a edificarem o templo. Em vez de esses valores serem usados na obra do templo, foram empregados por Zacarias para fazer coroas, entrelaçadas de ouro e prata, que foram colocadas na cabeça de Josué, sumo sacerdote. Essa honra não era endereçada propriamente a Josué, mas apontava para alguém que era homônimo de Josué, Jesus, o Messias esperado.

O Messias coroado como o Renovo (6.11,12)

Quando Josué foi coroado, não houve nenhum equívoco nessa coroação, como pensaram alguns estudiosos. Foi dito que ele julgaria a casa de Deus (3.9). Baldwin, citando W. Eichrodt, diz que a interpretação dessa passagem em favor de Zorobabel é errônea e só pode ser assegurada à custa de conjecturas grosseiras.[5] Não se tratava de desbancar Zorobabel nem mesmo de insurgir-se contra o rei da Pérsia. Esse coroamento não era um ato político, mas um ato simbólico e profético.[6] Essa coroa não era para ser ostentada na cabeça de Josué, mas para ser guardada no templo como memorial.

Warren Wiersbe diz que o ato simbólico havia chegado ao fim, e a coroa não pertencia a Josué. Pertencia ao Messias que viria.[7] Richard Phillips elenca cinco motivos pelos quais a coroação de Josué constitui um simbolismo profético: 1) os reis de Israel tinham de pertencer à linhagem de Davi. Josué não pertencia, por isso era inelegível ao ofício de rei; 2) o versículo 12 associa essa coroa com Aquele *cujo nome é Renovo* — uma designação bem reconhecida para o Messias — Josué não era o Messias; 3) a coroa não é entregue a Josué para usá-la e mantê-la, mas colocada sobre sua cabeça e depois levada para o templo como memorial; 4) a visão do capítulo 3 apresenta primeiro Josué e seus companheiros como *homens de presságio* das coisas futuras, portanto ele ainda tinha essa função simbólica aqui; 5) Josué era o sumo sacerdote, um ofício revestido de um simbolismo visual. O sumo sacerdote era um mediador, aquele que representava os homens perante Deus e Deus, diante dos homens. Portanto, faz sentido que essa cerimônia de coroação servisse a uma função correspondente; ela retratava visualmente o Messias em Seu ofício e obra.[8]

Essa cerimônia de coroação apontava para Alguém que brotaria como o Renovo. Charles Feinberg é esclarecedor, ao escrever:

> Devemos acentuar que toda a transação na época de Zacarias foi simbólica. Vemos a prova disso nestes pormenores: 1) a coroa real não pertencia a nenhum sumo sacerdote ou descendente de Levi — somente à tribo de Judá e à dinastia de Davi; 2) o versículo 12 diz "homem cujo nome é Renovo", indicando o Messias, conforme vimos em Zacarias capítulo 3; 3) o versículo 13 declara que ele edificará

o Templo do Senhor, obra verdadeira que somente Cristo realizará no futuro; 4) o versículo 13 indica que ele será revestido de glória, cumprimento visto só em Cristo; 5) o versículo 13 revela que ele será sacerdote no seu trono, referência exclusiva a Cristo, conforme o demonstram o Salmo 110 e o capítulo 7 de Hebreus.[9]

Baldwin diz que, depois da morte de Zorobabel, a linha davídica caiu em esquecimento, e o sumo sacerdote passou a governar.[10] F. B. Meyer segue essa mesma linha de pensamento, ao afirmar que, nos dias de Zacarias, a família de Davi era como uma árvore apodrecida, da qual somente o toco permanecia. Mas, de uma origem tão improvável e humilde, emanaria um broto ou rebento, que de novo se tornaria uma nobre árvore e perpetuaria a lembrança e influência da linhagem real (Is 11.1; Mt 1.1). Quinhentos anos depois, José e Maria, da família de Davi, saem de Nazaré para Belém, a cidade de Davi, e ali, na casa do pão, nasce de forma humilde o renovo, o rebento de Davi. Desse tronco, o rebento cresceu até se tornar uma árvore nobre, cujos galhos alcançam os confins do mundo e cujos frutos dão vida e bênçãos a toda a humanidade.[11]

As palavras de Zacarias pronunciadas ao Josué coroado — *Eis aqui o homem* — são as mesmas palavras que Pilatos proferiu acerca de Cristo séculos depois, naquelas horas trágicas da história da redenção. Josué, o sumo sacerdote em Israel, prefigurava em sua pessoa e ofício o Homem, o Renovo, o Messias. Richard Phillips é assaz oportuno quando diz que, por mais importante que fosse o templo, não era a fonte da esperança de Israel. Muito mais importante que o templo era o Sacerdote-Rei que vem para edificar o verdadeiro templo, não só um templo de pedras, mas uma casa espiritual para Deus. Assim, Deus desvia os olhos de Israel do material para o espiritual, da construção do templo para o Construtor do templo, a fim de depositar nEle a sua esperança. Apontando para aquele ao qual ele representava simbolicamente, o profeta clama: *Eis aqui o homem* (6.12).[12]

O Messias honrado e exaltado (6.12-15)

Charles Feinberg explica que, depois de declaradas a pessoa e a natureza do Messias, é então indicada a Sua obra. Ele edificará o templo do Senhor.[13] Obviamente não se trata do templo que Zorobabel estava erigindo, mas do templo espiritual.

O coroamento de Josué, que apontava para o Messias, deixa claro que três fatos extraordinários aconteceriam no futuro.

Em primeiro lugar, o Messias edificará o templo (6.13). O templo que estava sendo reconstruído em Jerusalém não era a obra mais importante. Apontava para o verdadeiro templo. Este seria feito não por mãos humanas. O Messias não era apenas o edificador do verdadeiro templo, mas Ele mesmo era o próprio templo. Ele edificaria o templo, construído por pedras vivas, ou seja, por todos os remidos. A igreja é o templo verdadeiro. É a morada de Deus.

Concordo com Phillips quando ele diz que, assim como esse novo templo unirá os ofícios de rei e sacerdote — tendo sido edificado por um rei-sacerdote que reinará sobre ele —, também o templo não será exclusivamente dos judeus, mas de todas as nações reunidas que vêm adorar a Deus (Ag 2.7).[14]

Jesus iniciou essa construção em Sua encarnação, quando Deus veio habitar em carne humana: *O Verbo se fez carne e habitou entre nós, cheio de graça e de verdade, e vimos a sua glória, glória como do Unigênito do Pai* (Jo 1.14). Jesus também falou sobre Sua morte e ressurreição como reconstrução do templo de Deus: *Destruí este santuário, e em três dias o reconstruirei* (Jo 2.19).

Phillips, citando Alexander Maclaren, lança luz sobre o assunto quando destaca que Cristo mesmo é o verdadeiro templo de Deus. Tudo quanto o templo representa, Cristo é ou oferece. NEle habita a plenitude de Deus. A glória que outrora habitava entre os querubins tabernaculou entre nós em Sua carne.[15] É ensino claro das Escrituras que a igreja é o templo que Cristo veio construir. Ao edificar a igreja, Ele mesmo é a pedra fundamental (Mt 16.18). Agora, nós, os que cremos, somos pedras vivas, edificados casa espiritual para sermos sacerdócio santo, a fim de oferecermos sacrifícios espirituais a Deus, por intermédio de Cristo (1Pe 2.5). Deus está formando de judeus e gentios um só povo (Ef 2.19-22). Cada crente *per se* é santuário do Espírito Santo (1Co 3.17; 6.19). Somos o santo dos santos, onde a glória de Deus se manifesta.

Em segundo lugar, o Messias será revestido de glória como Sacerdote e Rei (6.13). *... e será revestido de glória...* Isso era impossível sob a constituição de Israel como nação daquela época, portanto apontava para uma nova era, uma nova constituição. Além disso, nenhum rei podia exercer funções sacerdotais. Mas, agora, uma união dos dois ofícios é retratada simbolicamente.[16] O Rei-Sacerdote deve ostentar a glória. Depois de Sua bendita obra de redenção no Calvário, Ele exibiu uma medida de glória (Sl 110.1; Fp 2.5-11; Hb 2.9).[17] A cerimônia oficiada por Zacarias apontava para o Messias, Aquele que foi Sacerdote e Rei. Nunca na história de Israel um sacerdote ocupou o ofício de rei, nem um rei ocupou a função de sacerdote. Quando o rei Uzias quis exercer o ministério sacerdotal, foi tomado de lepra (2Cr 26.16-21). Por isso, o coroamento de Josué apontava para Jesus, o Messias. Warren Wiersbe diz que somente no Messias Deus une o trono e o altar. Hoje, Jesus Cristo serve no céu como Rei e Sacerdote, ministrando segundo a ordem de Melquisedeque (Sl 110.4; Hb 7—8).

Jesus veio para reinar como Sacerdote e Rei. Primeiro Sacerdote, depois Rei. Primeiro a cruz, depois a coroa. Primeiro a morte, depois o triunfo da ressurreição. Primeiro a humilhação mais extrema, depois a exaltação mais gloriosa. Como verdadeiro Melquisedeque (Hb 5.10), Ele se assentará e governará sobre o Seu trono. Permanência, segurança e redenção consumada estão todas aqui nessa palavra concernente ao Messias (Gn 14.18; Sl 110.4; Hb 5.10; 6.20; 7.1-28). O Messias será sacerdote no Seu próprio trono (Hb 1.3; 8.1; 10.12; 12.2; Ap 3.21).

Essa mensagem de Zacarias certamente trouxe um ânimo redobrado a esses judeus pós-exílicos. O próprio Renovo assumiria a principal responsabilidade de todos os esforços e labores da Sua nova edificação. Ele, e não eles. Eles eram apenas cooperadores de Deus. Nada nem ninguém, portanto, deveria frustrá-los ou amedrontá-los.

O sacerdócio de Jesus tem dois aspectos. Como sacerdote aarônico Ele morreu; como sacerdote da ordem de Melquisedeque, Ele reina. O primeiro fala sobre Sua humilhação na morte; o segundo, sobre Sua exaltação na entronização. Concordo com Phillips quando ele diz que não se trata de um rei que entra para uma ordem sacerdotal, mas de um sacerdote que se assenta no trono real. É desse modo também que Paulo descreve a ordem do ministério de Jesus: primeiro humilhação e morte (Fp 2.5-8) e depois exaltação e glória (Fp 2.9-11).[18]

O Messias, sendo Deus transcendente, esvaziou-se. Sendo Rei eterno, fez-se servo. Sendo rico, fez-se pobre. Sendo exaltado acima dos querubins e tendo glória eterna com o Pai antes que houvesse mundo, foi humilhado até a morte, e morte de cruz. Então, Deus Pai O exaltou sobremaneira e Lhe deu o nome que está acima de todo nome, para que ao nome de Jesus se dobre todo joelho, nos céus, na terra e debaixo da terra, e toda língua confesse que Jesus é o Senhor para a glória de Deus Pai.

F. B. Meyer destaca que, como sacerdote, Jesus pleiteia o mérito do Seu sangue; como Rei, exerce Seu poder em nosso favor. Como sacerdote, Ele apazigua a consciência culpada; como Rei, envia emanações da Sua própria vida vitoriosa para nosso espírito. Como sacerdote, Jesus nos leva para mais perto de Deus; como Rei, calca nossos inimigos sob os pés. É muito importante que todos consideremos nosso Salvador sob esse duplo aspecto.[19]

Em terceiro lugar, o Messias receberá os gentios como cooperadores na construção do templo (6.14,15). O templo edificado pelo Messias não seria destinado apenas ao povo judeu, mas a todos os povos. Os gentios viriam de longe, cooperando com o edificador na construção desse templo (6.15; Is 60.5-12; Ag 2.7-9). Concordo com Baldwin quando ele diz que esse templo dificilmente seria o templo de Jerusalém, uma vez que este já estava a meio caminho da conclusão, e esses "que estão longe" não precisam necessariamente ser judeus da dispersão (2.11; 8.22).[20] F. B. Meyer realça que o templo espiritual está sendo levantado através dos tempos e inclui a mão de obra de judeus e gentios, de escravos e livres, daqueles que são filhos do privilégio e daqueles que pareciam estar fora do seio da salvação.[21] O apóstolo Paulo esclarece: *Portanto, lembrai-vos de que, outrora, vós, gentios na carne, chamados incircuncisão por aqueles que se intitulam circuncisos, na carne, por mãos humanas, naquele tempo, estáveis sem Cristo, separados da comunidade de Israel e estranhos às alianças da promessa, não tendo esperança e sem Deus no mundo. Mas, agora, em Cristo Jesus, vós, que antes estáveis longe, fostes aproximados pelo sangue de Cristo* (Ef 2.11-13).

NOTAS

[1] PHILLIPS, Richard D. *Zacarias*, p. 142.

[2] BALDWIN, J. G. *Ageu, Zacarias e Malaquias: introdução e comentário*, p. 107.

[3] PHILLIPS, Richard D. *Zacarias*, p. 142.

[4] Ibidem, p. 143.

[5] BALDWIN, J. G. *Ageu, Zacarias e Malaquias: introdução e comentário*, p. 109.

[6] PHILLIPS, Richard D. *Zacarias*, p. 143.

[7] WIERSBE, Warren W. *Comentário bíblico expositivo*. Vol. 4, p. 569.

[8] PHILLIPS, Richard D. *Zacarias*, p. 143-144.

[9] FEINBERG, Charles L. *Os profetas menores*, p. 284.

[10] BALDWIN, J. G. *Ageu, Zacarias e Malaquias: introdução e comentário*, p. 108.

[11] MEYER, F. B. *Zacarias: o profeta da esperança*, p. 50.

[12] PHILLIPS, Richard D. *Zacarias*, p. 149.

[13] FEINBERG, Charles L. *Os profetas menores*, p. 283.

[14] PHILLIPS, Richard D. *Zacarias*, p. 147.

[15] Ibidem, p. 148.

[16] Ibidem, p. 144.

[17] FEINBERG, Charles L. *Os profetas menores*, p. 283.

[18] PHILLIPS, Richard D. *Zacarias*, p. 145.

[19] MEYER, F. B. *Zacarias: o profeta da esperança*, p. 52.

[20] BALDWIN, J. G. *Ageu, Zacarias e Malaquias: introdução e comentário*, p. 112.

[21] MEYER, F. B. *Zacarias: o profeta da esperança*, p. 54.

Capítulo 12

O jejum que agrada
a Deus
(Zc 7.1-14)

Dois anos haviam passado desde que Zacarias recebera as visões de encorajamento ao povo de Judá (1.1; 7.1). A reconstrução do templo estava indo de vento em popa. Os serviços do templo já haviam sido restaurados (7.2,3).

Uma pergunta (7.1-3)

Dos exilados que voltaram da Babilônia, 223 se estabeleceram em Betel e Ai (Ed 2.28). Betel é a cidade que fora centro do culto sincrético do Reino do Norte desde o reinado de Jeroboão I (1Rs 12.19). Em virtude de a reconstrução da cidade e do templo já estar em fase bem adiantada, uma comitiva foi enviada de Betel a Jerusalém, liderada por

Sarezer e Régen-Meleque. Esses homens foram a Jerusalém para suplicar o favor do Senhor e perguntar aos sacerdotes que estavam na Casa do Senhor e aos profetas acerca da legitimidade de continuarem com a prática do jejum, como haviam feito nos setenta anos de cativeiro.

Na verdade, os judeus que foram arrancados da sua terra e viram a cidade de Jerusalém ser cercada, seus muros destruídos e hordas inimigas invadindo a cidade, queimando o templo, matando os judeus impiedosamente e levando o restante para o cativeiro, criaram quatro tipos diferentes de jejuns (8.19): 1) quando Nabucodonosor tomou Jerusalém no quarto mês (Jr 52.6); 2) quando o templo foi queimado no quinto mês (2Rs 25.8; Jr 52.12); 3) quando Gedalias, o governador, foi assassinado no sétimo mês (2Rs 25.25; Jr 41.1,2); 4) quando começou o sítio de Jerusalém no décimo mês (2Rs 25.1,2; Jr 39.1).[1] A data da queda de Jerusalém era relembrada com solenidade e pranto durante os anos do exílio. F. B. Meyer diz que o ano judeu era cheio de tristes lembranças, e a vida nacional era permanentemente oprimida pela melancolia (Sl 137.1-4).[2] Agora, uma vez que a cidade estava sendo reconstruída e o templo já estava funcionando, deveriam eles continuar com o jejum? Deveriam se cobrir de pano de saco? Deveriam continuar o choro amargo? Deveriam se privar de alegria?

F. B. Meyer destaca o fato de que era certamente inútil manter uma forma antiquada, uma efígie do passado, uma múmia ressequida de um culto que uma vez representara a mais profunda angústia e arrependimento. E nada amortece mais a alma do que a manutenção de ritos dos quais a luz e o fogo já se apagaram, deixando-os como as cinzas de um vulcão extinto.[3]

O jejum que agrada a Deus

Há um grande risco de a tradição tornar-se tradicionalismo. A tradição é boa, mas o tradicionalismo pode ser um peso morto. A tradição é um guia, e não um carcereiro. A tradição é a fé viva dos que já morreram, enquanto o tradicionalismo é a fé morta dos vivos.[4] Instituir quatro jejuns em razão das tragédias que haviam ocorrido em Jerusalém e, no entanto, não se arrepender dos pecados que levaram a essas tragédias era uma falta de compreensão de todo o propósito da disciplina de Deus.[5]

Havia um único jejum instituído na lei de Moisés que os judeus estavam ordenados a observar, isto é, o dia nacional de jejum, no Dia da Expiação (Lv 23.16-32). Esse jejum nada tinha a ver com aqueles que estavam sendo observados pelo povo. William Greathouse explica que a resposta de Deus dada pelo profeta é dividida em quatro partes, cada uma iniciada pela mesma fórmula (7.4,8; 8.1,18).[6] Vamos considerar as duas primeiras neste capítulo e as outras duas no capítulo seguinte.

Uma resposta (7.4-7)

Zacarias recebe da parte de Deus a palavra para dar a resposta (7.4). Ele não fala por si mesmo. Ele não tem a mensagem; apenas a entrega. Ele não é dono da mensagem; apenas servo dela. Ele não cria a mensagem; é mensageiro dela.

Zacarias não dá uma reposta apenas aos emissários de Betel, mas a todo o povo. A pergunta da comitiva era assunto de interesse geral. Todo o povo precisava ser instruído sobre o verdadeiro culto, e a ocasião era oportuna para transmitir à nação a verdade.

Zacarias não dá uma resposta simplista aos seus interlocutores; antes, aproveita o ensejo para alertar sobre o culto falso, que não agrada a Deus, ao mesmo tempo que ensina os fundamentos do culto verdadeiro.

Zacarias responde à pergunta dos mensageiros de Betel com outras perguntas (7.5-7) e aproveita o ensejo para ensinar ao povo a verdadeira adoração espiritual, voltando a atenção deles do passado para as promessas do futuro.[7]

Antes de responder especificamente às perguntas a ele endereçadas, Zacarias trata das atitudes do coração do povo. Afinal de contas, o relacionamento com Deus é mais importante do que a observância de rituais. Deus já havia dito por intermédio de Samuel que Ele se agrada mais da obediência do que de sacrifícios (1Sm 15.22). Essa mesma verdade é ensinada por Davi (Sl 50.8-14; 51.16). Isaías tangeu esse mesmo tema (Is 1.11-17; 58.1-14). Miqueias, de igual forma, levantou a mesma bandeira (Mq 6.6-8). O apóstolo Paulo também trata do assunto quando diz que comemos e bebemos para a glória de Deus (1Co 10.31).

Zacarias nos ensina quatro verdades importantes sobre o culto que agrada a Deus.

Em primeiro lugar, o culto que agrada a Deus é centrado em Deus, e não no homem (7.5,6). Durante setenta anos, os judeus criaram para si mesmos rituais que Deus jamais havia estabelecido em Sua Palavra. Eles jejuavam para si mesmos. Choravam para si mesmos. Comiam e bebiam para si mesmos. O culto deles era antropocêntrico, e não teocêntrico. Obviamente, uma vez que esses jejuns haviam sido criados por conta deles mesmos e para eles mesmos, estavam livres para descontinuá-los.

Richard Phillips diz que, num tempo de autosserviço, narcisismo e autolatria, Deus condenou o jejum daqueles judeus porque era feito para eles mesmos. O jejum se destinava às suas próprias necessidades emocionais e experiências

O jejum que agrada a Deus

espirituais. Pior ainda era a ideia de que por meio do jejum fosse possível manipular a Deus a fim de obter novamente as antigas bênçãos.[8] O mesmo autor alerta sobre o fato de que qualquer prática religiosa que ofereçamos, seja frequentar a igreja, seja doar dinheiro, seja fazer boas obras, seja ler a Bíblia ou orar — e até mesmo jejuar e prantear —, não tem nenhum valor para Deus, a não ser que seja para Seu agrado, Sua glória e Seu serviço (Am 5.21; Cl 3.17).[9]

Em segundo lugar, o culto que agrada a Deus precisa ser fundamentado na verdade e praticado com a motivação certa. Eles faziam esses jejuns (8.19) para si mesmos. Eles criaram esses jejuns e praticaram esses jejuns por conta própria e para seu próprio benefício. De repente as coisas aconteciam, o ritual era praticado, e a tradição era passada dos pais para os filhos sem nenhuma reflexão. Era apenas um ritual vazio. Jesus disse para a mulher samaritana que o culto que agrada a Deus é em espírito e em verdade. Precisa ser bíblico e sincero. Dionísio Pape destaca que o Senhor não tem prazer num culto praticado apenas por dever. Às vezes, em nossas igrejas, mantemos as atividades por rotina, e ninguém ousa perguntar se o Senhor as quer. Muitas atividades continuam apenas por tradição.[10]

Em terceiro lugar, o culto que agrada a Deus precisa ser coerente com as Escrituras e com a vida. Durante setenta anos, os judeus jejuaram em memória das tragédias que vivenciaram, mas nunca refletiram sobre as causas dessas tragédias. Pensaram que o ritual de lamento e choro era suficiente para eles e para Deus. Nunca perguntaram por que haviam sido arrasados. Nunca perguntaram por que Jerusalém havia caído nas mãos dos caldeus. Nunca perguntaram por que os vasos do templo haviam sido entregues nas mãos de seus inimigos.

Em quarto lugar, o culto que agrada a Deus precisa ser fundamentado na obediência à Palavra de Deus (7.7). O cativeiro babilônico foi consequência da desobediência dos pais. Eles não ouviram os profetas de Deus. Rejeitaram a mensagem de Deus. O pecado de seus pais foi a causa da escravidão. Porque não ouviram a Palavra de Deus, sofreram o amargo cerco e a dolorosa deportação. Agora, tentavam erguer um monumento à sua dor, jejuando e chorando, sem fazer uma reflexão sobre a causa do exílio.

Uma exortação (7.8-14)

Depois de denunciar o culto falso e os jejuns criados no laboratório das tradições, sem o amparo das Escrituras e sem a reflexão necessária, Zacarias passa a mostrar o culto verdadeiro que agrada a Deus. Zacarias não extrai essa mensagem do próprio coração, mas lança mão da Palavra de Deus. Em outras palavras, Zacarias não tinha nenhuma mensagem nova para declarar-lhes, pois os princípios do justo governo de Deus são eternos e estão registrados em Sua santa Palavra.

Vejamos a seguir quais são as marcas do culto que agrada a Deus.

Em primeiro lugar, o culto que agrada a Deus não é apenas verticalizado, mas também horizontalizado (7.8-10). Nossa relação certa com Deus precisa passar pelo relacionamento correto com o nosso próximo. De nada adianta jejuar e chorar e ao mesmo tempo não exercer bondade e misericórdia com o seu irmão. De nada adianta regar o altar de Deus com nossas lágrimas, privando-nos de alimentos, e ao mesmo tempo oprimir a viúva, o órfão, o estrangeiro e o pobre. De nada adianta termos rituais religiosos pomposos

O jejum que agrada a Deus

se ao mesmo tempo alimentarmos o mal no coração contra o nosso próximo.

Isaltino Gomes diz, acertadamente, que a verticalização da religião, produto do pietismo, sem a horizontalização, produz um misticismo oco. A cruz de Cristo tem duas linhas, uma vertical e outra horizontal. São necessárias as duas para que haja uma cruz. Se faltar alguma delas, a cruz deixa de existir. A religião do cristão autêntico tem uma linha vertical, na direção de Deus, e uma linha horizontal, na direção do próximo.[11]

Concordo com Dionísio Pape quando ele diz: "Nunca se deve separar a mensagem espiritual da social: são as duas faces da mesma medalha".[12] Tiago deixou claro esse ponto: *A religião pura e sem mácula, para com o nosso Deus e Pai, é esta: visitar os órfãos e as viúvas nas suas tribulações e a si mesmo guardar-se incontaminado do mundo* (Tg 1.27). Essa é a mesma verdade declarada pelo profeta Miqueias: *Ele te declarou, ó homem, o que é bom e que é o que o Senhor pede de ti: que pratiques a justiça, e ames a misericórdia, e andes humildemente com o teu Deus* (Mq 6.8). Zacarias destaca quatro preceitos para resumir os padrões que deveriam caracterizar a vida social de Israel, como vemos a seguir.

Primeiro, *executai juízo verdadeiro* (7.9). Cada membro da comunidade tinha responsabilidades diante dos outros, em seu relacionamento social, e não só os juízes. A verdadeira justiça incluía preocupar-se com o indivíduo, especialmente com o justo oprimido (Is 42.3; 59.14,15).

Segundo, *mostrai bondade e misericórdia* (7.9). Explorar fraquezas não combina com praticar justiça, bondade e misericórdia. Bondade é fazer o bem a quem não merece; misericórdia é não retribuir o mal a quem merece castigo.

Terceiro, *não oprimais a viúva, nem o órfão, nem o estrangeiro, nem o pobre* (7.10). O pobre não tinha poder de barganha e estava à mercê dos ricos (Am 4.1). A viúva e o órfão, sem arrimo e defensor, estavam em situação financeira e social fraca, por isso eram fáceis de enganar e grosseiramente explorados pelos inescrupulosos (Mq 2.9).

Quarto, *nem intente cada um, em seu coração, o mal contra o seu próximo* (7.10). Se os três primeiros preceitos eram objetivos, este é subjetivo. Deus se importa não apenas com a ação, mas também com a motivação. Ele vê não nossas obras, mas também sonda o nosso coração. É necessário não apenas deixar de fazer o mal (8.16,17), mas também deixar de intentar o mal no coração contra o próximo. Esse preceito contempla o que determina o décimo mandamento da lei de Deus: *Não cobiçarás* (Êx 20.17).

Concordo com Baldwin quando ele diz que estes padrões morais deveriam ser observados por aqueles que queriam jejuar, porque a queda de Judá fora causada por desobediência a eles.[13] Feinberg, nessa mesma linha de pensamento, acrescenta que as calamidades que deram origem aos jejuns foram resultado de desobediência à Palavra de Deus anunciada por intermédio dos Seus profetas. Por que se preocupavam eles com o que Deus não ordenou, quando deveriam dar ouvidos ao que Ele clara e repetidamente lhes ordenou? Deveriam antes obedecer às palavras dos profetas proferidas nos dias anteriores ao exílio, quando a terra vivia em paz e era habitada. Essas coisas eram mais importantes do que todos os jejuns que eles próprios se impuseram. Mais do que qualquer outra coisa, Deus deseja obediência.[14]

Em segundo lugar, o culto que agrada a Deus precisa odiar o pecado em vez de se preocupar apenas com suas consequências (7.11,12). Agora que o templo estava sendo

O jejum que agrada a Deus

restaurado, eles desejavam suspender o jejum. Mas a resposta de Deus deixa claro que eles estavam preocupados com as consequências dos pecados do passado — a queda da cidade, a destruição do templo e o exílio do povo —, e não com o pecado em si. Deus queria que o povo lamentasse não só a catástrofe provocada pelo pecado, mas o próprio pecado.[15]

O pecado é o mal dos males. É o pior de todos os males, que nos priva da maior de todas as bênçãos, a presença de Deus. O pecado é pior do que a pobreza, pior do que a enfermidade, pior do que a própria morte. Todos os males não podem nos afastar de Deus, mas o pecado nos afasta de Deus. Pior do que o exílio babilônico, pior do que a destruição do templo, era o pecado. Devemos lamentar o pecado, e não apenas suas consequências. Foi por causa do pecado que Deus se afastou de Seu povo. Foi por causa do pecado que Deus espalhou Seu povo entre as nações. Foi o pecado que tornou a terra da promessa um lugar de desolação. Richard Phillips é contundente em dizer que o pecado nos destrói, consome nossos anos, corrompe nosso coração e, se não for expiado pelo sangue de Cristo, condena nossa alma.[16]

Em terceiro lugar, o culto que agrada a Deus passa pela obediência à Palavra de Deus (7.11,12). Os pais rejeitaram não palavras de homens, mas a Palavra enviada pelo Espírito Santo, mediante os profetas (7.12). Eles rejeitaram a mensagem e os mensageiros. Rejeitaram o ensino e a exortação. Rejeitaram a doutrina e o dever. Eles não levaram a Palavra de Deus a sério. A resposta de Zacarias deixa evidente que, se seus interlocutores estavam procurando a verdadeira religião, precisavam apenas consultar a Palavra de Deus. Richard Phillips faz um alerta:

É isso o que sempre encontramos na falsa espiritualidade. As pessoas estão procurando uma nova perspectiva, um novo programa, experiências ou algo superior, enquanto a Palavra de Deus nos apresenta uma instrução clara sobre nossa responsabilidade para com ele.[17]

Zacarias descreve quatro atitudes dos pais que culminaram no seu exílio.

Primeira, eles não quiseram atender (7.11). Assumiram uma atitude completamente negativa.

Segunda, eles rebeldemente viraram as costas para Deus (7.11). Deram de ombro, para demonstrar um desrespeito infantil e cheio de rancor aos mensageiros de Deus.

Terceira, eles ensurdeceram os ouvidos (7.11). Fizeram isso para tornar fútil todo esforço do Senhor em instruí-los. Como o diamante é o material mais duro e impenetrável da natureza, eles rejeitaram a verdade com todas as suas forças e assim resistiram ao Espírito Santo (At 7.51).

Quarta, eles fizeram seu coração duro como diamante (7.12). Por causa dessa apostasia deliberada, a grande ira do Senhor dos Exércitos veio sobre eles, que foram desarraigados de sua terra e espalhados pelas nações. A desobediência produz destruição, e a destruição desemboca em desolação.[18]

Em quarto lugar, o culto que agrada a Deus precisa aprender com a disciplina divina (7.13,14). Não se pode semear incredulidade e colher bênçãos. Não se pode plantar rebeldia e colher graça. Não se pode rebelar-se contra Deus e Sua Palavra e colher benefícios. Quando os filhos desobedecem aos pais, a disciplina torna-se necessária. E foi isso que aconteceu. Deus clamou ao Seu povo, e o povo não o ouviu; na hora do aperto, eles clamaram a Deus, e o Senhor os deixou colher os frutos malditos de sua semeadura insensata. Eles não ouviram a Deus no tempo da bonança, e a tempestade desabou sobre eles. Não atenderam à voz dos profetas enquanto estavam seguros dentro dos muros de Jerusalém, e Deus os espalhou como um turbilhão entre todas as nações. Eles não atenderam à voz de Deus enquanto sua terra produzia com fartura, e a terra foi assolada a ponto de tornar-se uma desolação. A história precisa ser nossa pedagoga; do contrário, será nossa coveira. Quem não aprende com os erros do passado está fadado a repeti-los e tornar-se ainda mais culpado. Baldwin está certo quando diz que era fácil jejuar durante dias, lamentando as perdas do passado, mas difícil cumprir as contínuas exigências de Deus. Estariam eles mais preparados que seus pais para viver na vida diária o espírito da lei de Deus?[19]

NOTAS

[1] ROBINSON, George L. *Los doce profetas menores*, p. 128.

[2] MEYER, F. B. *Zacarias: o profeta da esperança*, p. 56.

[3] Ibidem, p. 57.

[4] WIERSBE, Warren W. *Comentário bíblico expositivo*. Vol. 4, p. 571.

[5] Ibidem, p. 572.

[6] GREATHOUSE, William M. O livro de Zacarias. In: *Comentário bíblico Beacon*, p. 316.

[7] WIERSBE, Warren W. *Comentário bíblico expositivo*. Vol. 4, p. 570.

[8] PHILLIPS, Richard D. *Zacarias*, p. 157.

[9] Ibidem, p. 158.

[10] PAPE, Dionísio. *Justiça e esperança para hoje*, p. 119.

[11] COELHO FILHO, Isaltino Gomes. *Os profetas menores*, p. 155.

ZACARIAS — O Apocalipse do Antigo Testamento

[12] PAPE, Dionísio. *Justiça e esperança para hoje*, p. 120.

[13] BALDWIN, J. G. *Ageu, Zacarias e Malaquias: introdução e comentário*, p. 120.

[14] FEINBERG, Charles L. *Os profetas menores*, p. 287.

[15] PHILLIPS, Richard D. *Zacarias*, p. 158.

[16] Ibidem, p. 165.

[17] Ibidem, p. 159.

[18] GREATHOUSE, William M. O livro de Zacarias. In: *Comentário bíblico Beacon*, p. 318.

[19] BALDWIN, J. G. *Ageu, Zacarias e Malaquias: introdução e comentário*, p. 121.

Capítulo 13

O futuro glorioso do povo de Deus
(Zc 8.1-23)

A PRIMEIRA PARTE do livro de Zacarias termina com esse capítulo. Sem transição, o profeta passa das consequências da ira de Deus à reafirmação do Seu amor.[1] Zacarias põe de lado a discussão sobre as tradições para transmitir uma mensagem do Senhor, com ricas promessas que haveriam de se cumprir no futuro.

Aqueles que subscrevem a perspectiva dispensacionalista entendem que esse capítulo termina com a esperança da supremacia de Israel entre as nações, sob o reinado do Messias no milênio terreno. Entendemos, porém, que o texto aponta para o triunfo de Cristo e de Sua igreja. Richard Phillips, expondo a visão dos teólogos do pacto, afirma:

> O Israel do Antigo Testamento encontra cumprimento na igreja do Novo Testamento. Há abundante apoio bíblico para essa visão, como a referência de Paulo à igreja como o *Israel de Deus* (Gl 6.16) e seu ensino de que os cristãos foram enxertados na oliveira de Israel (Rm 11.17). De acordo com a teologia do pacto, as promessas de Zacarias referem-se à igreja de Cristo. Elas se cumprem espiritualmente na era da graça por meio daqueles que pertencem à igreja. A igreja é o verdadeiro templo no qual Deus mantém sua promessa de vir e habitar por meio de seu Espírito; é na igreja que Deus promove prosperidade espiritual e é para a igreja que mesmo agora ele arrebanha as nações. O cumprimento final das promessas de Deus ocorrerá no retorno de Cristo, quando reunirá todo o seu povo no templo eterno de Deus.[2]

Isso posto, destacamos a seguir seis mensagens na exposição do capítulo 8 de Zacarias.

Jerusalém reconstruída (8.1-6)

Não só o templo, mas também a cidade de Jerusalém estava sendo reconstruída. William Greathouse diz que, à medida que as promessas de reconstrução se desdobram, obtemos um vislumbre das condições desesperadoras do povo e do país. Viam-se poucas pessoas idosas e crianças em Jerusalém (8.4,5). Muitos judeus ainda estavam no exílio (8.7), e os que voltaram estavam apáticos e desanimados (8.9,13). O desemprego era geral, os povos vizinhos eram hostis, e a cidade estava dilacerada pelas discórdias (8.10). A seca arruinava as colheitas (8.12; Ag 1.11), e o nome dos judeus era um apelido pejorativo entre os pagãos (8.13). A situação era tão desesperadora que só um milagre podia curá-la (8.6).[3]

Por isso, a reconstrução de Jerusalém não poderia ser apenas uma obra do engenho humano. Era necessária uma intervenção do braço soberano de Deus. Essa reconstrução se daria por vários instrumentos.

Em primeiro lugar, pela autoridade da Palavra de Deus (8.1,2). A restauração de Jerusalém era certa, porque estava garantida pela Palavra do Deus Todo-poderoso que não pode mentir. Promessa de Deus e realidade são a mesma coisa, pois o que Ele promete, Ele cumpre; e o que Ele faz, ninguém pode impedir Sua mão de fazer.

Em segundo lugar, pelo zelo do Senhor (8.2). O zelo de Deus deve ser entendido em Sua relação com a aliança. É como se Deus não pudesse mais suportar a separação de Seu povo, causada pela teimosia deste.[4] Zacarias diz que Deus tem zelo por Sião. Com grande empenho, Ele zela por Jerusalém (1.14). Mesmo quando disciplina Seu povo, Deus não deixa de amá-lo. Mesmo quando usa uma providência carrancuda como chicote para colocar Seu povo no trilho da obediência, faz isso com zelo. Tocar no povo de Deus, portanto, é tocar na menina dos olhos de Deus (2.8).

Em terceiro lugar, pelo poder da presença de Deus (8.3). A restauração de Jerusalém não passava apenas pela reconstrução do templo e dos muros e portas, mas, sobretudo, pela manifestação da presença de Deus em seu meio. É a presença de Deus que traz segurança para a cidade. Uma vez que Deus seria como um muro de fogo ao redor da cidade, ninguém poderia atacá-la por causa dessa presença protetora.

Em quarto lugar, pela bênção da reconciliação com Deus (8.3). O Deus santo não pode habitar em Jerusalém sem que os judeus rebeldes sejam reconciliados com Ele. Não pode existir comunhão entre trevas e luz, entre a impiedade e a santidade. Porque Deus habitaria na cidade, Jerusalém seria a cidade fiel, e os montes de Jerusalém seriam santos, pois ali seria a habitação de Deus. A presença de Deus é a chave para as bênçãos que virão. João Calvino explica esse ponto da seguinte maneira:

> Deus nunca está ocioso enquanto habita em Seu povo; pois Ele purifica todo tipo de impureza, todo tipo de engano, para que onde Ele habita seja sempre um lugar santo. Portanto, o profeta não só promete aqui bênção exterior aos israelitas, como também mostra que Deus realiza algo muito mais excelente — Ele purifica o lugar onde quer habitar e, da habitação que Ele escolhe, Ele elimina todo tipo de imundície.[5]

A grande questão é como Deus chama os homens ao arrependimento e à fé e reúne-os em Sua igreja? É pela pregação da Palavra (Jo 17.20). Richard Phillips cita o exemplo da pregação de João Calvino em Genebra, no século 16, para mostrar que um lugar de impiedade pode tornar-se a maquete mais viva do reino de Deus na terra. James Montgomery Boice descreve o impacto do ministério de Calvino naquela cidade:

> Ele não tinha dinheiro nem influência nem armas, mas tinha a Palavra de Deus. Mas ele pregava todos os dias com base nas Escrituras e, ao fazê-lo, sob o poder de sua pregação, a cidade começou a mudar. À medida que o povo de Genebra adquiria conhecimento da Palavra de Deus e deixava que ela influenciasse sua conduta, a cidade se tornou um modelo de cidade, a partir da qual o evangelho se espalhou para o restante da Europa, Reino Unido e o Novo Mundo [...]. Provavelmente, nunca mais houve melhor exemplo da dimensão da reforma moral e social do que a transformação de Genebra sob a liderança de João Calvino, que foi realizada quase totalmente pela pregação da Palavra de Deus.[6]

Em quinto lugar, pela bênção da segurança (8.4,5). A cidade será um lugar seguro para velhos e crianças. Ali não há lamento, mas alegria e folguedo. Ali não há ataques de inimigos, mas um ambiente propício para as crianças brincarem e os velhos desfrutarem das praças. Baldwin destaca que vida longa e prole abundante constituíam promessas pela obediência através das páginas do Antigo Testamento (Êx 20.12; Dt 4.40; 5.16,33; 6.2; 33.6,24).[7] Warren Wiersbe diz que nas cidades de hoje, construídas por mãos humanas, crianças e idosos não estão seguros nas praças e ruas e em nenhum outro lugar. Muitas crianças são mortas antes mesmo de nascer, e muitos velhos são abandonados.[8] Richard Phillips tem razão ao dizer que esse é mais um resultado do retorno de Deus para o Seu povo. Primeiro, há verdade e santidade; em seguida, paz e prosperidade, quando até os idosos e as crianças poderão se alegrar.[9]

Em sexto lugar, pela ação extraordinária de Deus (8.6). Jerusalém não seria restaurada apenas pelo esforço dos judeus pós-exílicos. Essa era uma obra extraordinária e sobrenatural de Deus, capaz de causar espanto nas pessoas mais otimistas.

O povo de Israel restaurado (8.7)

Honrando Sua aliança, Deus disciplinou Seu povo desobediente, dispersando os judeus por todo o mundo (Dt 28.63), mas um dia Ele os ajuntará em Sua terra e em Sua cidade santa (Is 11.11,12; 43.5-7; Jr 30.7-11; 31.7,8).[10]

Jerusalém não apenas seria restaurada, mas restaurada para o povo que ainda estava disperso no exílio pelos quatro cantos da terra, egressos da terra do Oriente e do Ocidente; o povo seria salvo e tirado desse cativeiro para a liberdade da cidade santa. Isso está de acordo com o salmista: *O Senhor edifica Jerusalém e congrega os dispersos de Israel* (Sl 147.2). Mais uma vez, Richard Phillips é oportuno quando diz que a verdadeira e duradoura bênção começa com a presença de Deus na igreja. Então vêm prosperidade e paz. E dessa forma o crescimento numérico torna-se um resultado abençoador.[11]

O relacionamento de Israel com o Senhor é restaurado (8.8)

A restauração dos judeus não seria apenas um ato político e social, mas, sobretudo, uma obra espiritual. Deus não apenas levou o povo da aliança para Jerusalém, mas também o levou para um relacionamento pessoal com Ele. Jerusalém não é lugar seguro sem a presença de Deus e sem um relacionamento pessoal com Deus. Eis o que diz o profeta em nome do Senhor: *Eu os trarei, e habitarão em Jerusalém; eles serão o meu povo, e eu serei o seu Deus, em verdade e em justiça* (8.8). A relação com Deus não seria apenas nominal ou baseada em rituais vazios como os jejuns que eles praticavam, mas em verdade e em justiça. O profeta Sofonias descreve esse tempo: *Naquele tempo, eu vos farei voltar e vos recolherei; certamente, farei de vós um nome e um louvor entre todos os povos da terra, quando eu vos mudar a sorte diante dos vossos olhos, diz o* Senhor (Sf 3.20).

A terra de Israel restaurada (8.9-13)

O primeiro sermão tirou sua lição do passado (8.1-8); no segundo, o profeta contrasta o passado com o presente (8.9-17). Este sermão se divide em duas partes (8.9-13 e 8.14-17).[12]

Destacamos alguns pontos importantes aqui:

Em primeiro lugar, uma palavra de encorajamento (8.9). Zacarias fala em nome do Senhor dos Exércitos, trazendo uma palavra de encorajamento a todos os que ouviram os profetas de Deus e fortaleceram as mãos na reconstrução do templo. Quem restaura Jerusalém é Deus, mas o povo deveria cooperar com Ele. Quem edifica a igreja é Cristo, mas somos Seus cooperadores.

Em segundo lugar, uma garantia de segurança (8.10,11). Nos dias passados, a presença e o ataque do inimigo não permitiam aos trabalhadores usufruírem o salário de seu labor, mas agora Deus promete que isso não mais acontecerá. Deus traz o povo para a sua terra e afasta o inimigo. Deus restaura o Seu povo e se vinga dos opressores dele.

Em terceiro lugar, uma promessa de prosperidade (8.12). A prosperidade seria abundante tanto espiritual como materialmente. Haveria sementeira de paz; a vide daria seu fruto, e a terra, sua novidade. Os céus dariam seu orvalho, e o povo se beneficiaria dos frutos dessa farturosa colheita. A prosperidade viria de Deus, e o povo de Deus desfrutaria dessa exuberante providência.

Em quarto lugar, uma reversão extraordinária (8.13). No passado, tanto o reino de Israel como o reino de Judá foram maldição entre as nações. Mas agora Deus salvará o Seu povo e fará dele uma bênção. Em virtude dessa bendita promessa, o povo é ordenado a não mais temer e a fortalecer suas mãos para o trabalho.

As exigências da aliança reafirmadas (8.14-19)

Destacamos aqui alguns pontos importantes:

Em primeiro lugar, Deus exerce misericórdia em vez de juízo (8.14,15). No passado, Deus exerceu Sua ira sobre os pais que fizeram o seu coração duro como diamante e não deram ouvidos à Sua voz, mas agora Deus vai exercer Sua misericórdia em vez de aplicar o Seu juízo. Ele se manifestará ao Seu povo cheio de graça e de verdade, e não em justiça e juízo (Jo 1.14).

Em segundo lugar, Deus requer obediência aos preceitos de Sua lei (8.16,17). Baldwin diz que Zacarias mantém a sequência da revelação bíblica, pois começa com o que Deus fez, só depois se voltando para as obrigações do homem à luz da grande bondade de Deus. Primeiro Deus livrou os israelitas da escravidão no Egito, depois lhes deu Sua lei (Êx 20.2,3); primeiro a graça, depois a lei, porque a lei é uma manifestação da graça.[13] Resta claro afirmar que Deus salva Seu povo do pecado, e não no pecado. Deus salva Seu povo não na desobediência, mas para a obediência. Os emissários de Belém estavam preocupados com os jejuns, rituais vazios que eles mesmos haviam criado para relembrarem a queda de Jerusalém, ou seja, as consequências dos pecados de seus pais, enquanto Deus requer obediência hoje aos preceitos de Sua lei que seus pais haviam quebrado. Quais são esses preceitos?

Primeiro, relacionamentos pautados pela verdade (8.16). *Falai a verdade cada um com o seu próximo...* É impossível ter um relacionamento certo com Deus e ao mesmo tempo pautar as relações interpessoais pela mentira.

Segundo, relacionamentos pautados pela justiça e pela paz (8.16). *... executai juízo nas vossas portas, segundo a verdade, em favor da paz.* O comércio, a indústria e as transações comerciais precisam ser pautados pela integridade. O roubo e o falso testemunho não podem ter guarida na vida do povo de Deus. Sem integridade nas transações, não há verdadeira paz.

Terceiro, relacionamentos pautados pelos sentimentos bons e ações verdadeiras (8.17). *Nenhum de vós pense mal no seu coração contra o seu próximo, nem ame o juramento falso, porque a todas estas coisas eu aborreço, diz o Senhor.* O mal não pode ser praticado nem desejado. Aquele que pensa

O futuro glorioso do povo de Deus

mal do seu próximo, ainda que no secreto de sua mente, ou no recôndito do seu coração, ou mesmo no interior do seu aposento, já transgrediu a lei de Deus. Aquele que rouba o seu próximo e tenta esconder sua falta de integridade, com juramentos falsos, provoca o desgosto de Deus.

Em terceiro lugar, Deus transforma os memoriais de tristeza em festas de alegria (8.18,19). *A palavra do Senhor dos Exércitos veio a mim, dizendo: Assim diz o Senhor dos Exércitos: O jejum do quarto mês, e o do quinto, e o do sétimo, e o do décimo serão para a casa de Judá regozijo, alegria e festividades solenes; amai, pois, a verdade e a paz.* Aqui está a resposta final aos emissários de Belém (7.1-3). Os quatro jejuns que eles haviam criado para relembrarem o cerco e a queda de Jerusalém, a destruição do templo, a morte do governador e o exílio, seriam transformados em festas de alegria. Deus vem transformar o desespero de Jerusalém em prazer, o sofrimento em júbilo, a miséria em abundância, a desolação em restauração, e o abandono em presença permanente entre eles.[14]

Baldwin tem razão ao indagar, à luz das coisas novas que Deus iria fazer, todas as quais provavam que o tempo de lamentos tinha passado, qual a vantagem de permanecer no passado. Era hora de fazer um novo começo, com novas atitudes e novas esperanças.[15] O profeta Jeremias já havia profetizado também acerca dessa alegria (Jr 31.10-14), evidenciando que não seriam meros prazeres passageiros, mas uma alegria abundante e perene: *Meu povo se fartará com a minha bondade, diz o Senhor* (Jr 31.14). Esse poço de alegria não pode se tornar amargo ou secar, porque o Senhor é a sua fonte.[16]

Obviamente, essa promessa apontava para o Messias. Jesus veio trazer festa onde havia tristeza. É Ele quem tira o espírito angustiado e coloca no lugar vestes de louvor. O relacionamento com Ele é como uma festa de casamento (Mt 9.15; Mc 2.18-20). Enquanto o noivo está presente, o ambiente é de festa, e não de choro. Na presença dEle, há plenitude de alegria (Sl 16.11). Mesmo que tenhamos aqui lutas e dissabores, podemos nos alegrar sempre no Senhor (Fp 4.4). Richard Phillips diz que o cristão é aquele que vai do jejum da convicção de pecado para a festa da salvação mediante a fé em Jesus Cristo.[17] Caminhamos para a Jerusalém celeste, e lá o Senhor vai enxugar dos nossos olhos toda lágrima (Ap 21.4). O próprio Deus terá alegria perene em Seu povo, diz o profeta Isaías: *E exultarei por causa de Jerusalém e me alegrarei no meu povo, e nunca mais se ouvirá nela nem voz de choro nem de clamor* (Is 65.19).

As nações gentias irão ao Senhor e serão salvas (8.20-23)

Destacamos a seguir alguns pontos.

Em primeiro lugar, as nações gentias irão a Deus por causa do Seu povo (8.20,21). Essa visão das nações procurando por Deus completa o propósito do chamado de Abraão, uma vez que nele todas as nações da terra seriam benditas (Gn 12.3). Essa ida dos gentios para se unirem com o povo de Deus não se dá por uma conquista militar nem é resultado de alguma legislação, mas um movimento espiritual à medida que pessoas de todas as nações e línguas se aproximam de Deus (Is 2.2,3).[18]

F. B. Meyer diz que essas predições já foram parcialmente cumpridas, pois em meio à negra noite da idolatria pagã, quando as nações mais importantes do mundo se entregavam a grosseira idolatria e impureza, as sinagogas dos judeus dispersos brilhavam como fagulhas, apresentando as grandes verdades das Escrituras. Da nação judaica procedeu o Salvador da humanidade e também os primeiros membros de Sua igreja. Aos judeus devemos o Antigo e o Novo Testamentos. Em Jerusalém, Jesus se apresentou como o Messias prometido. Em Jerusalém, Ele se apresentou como o sacrifício perfeito pelos nossos pecados. Em Jerusalém, Ele foi preso, julgado, condenado, crucificado e sepultado. Em Jerusalém, Ele venceu a morte e ressuscitou gloriosamente. Foi em Jerusalém, por ocasião de uma festa judaica, o Pentecostes, que o Espírito Santo desceu para dar início à Sua grande obra.[19] Paulo diz que a Jerusalém que é de cima é mãe de todos nós (Gl 4.26).

Em segundo lugar, as nações gentias buscarão o favor do Senhor (8.22). A Escritura diz que Jesus, o Cordeiro de Deus, é digno de tomar o livro e abrir-lhe os selos, porque foi morto e com o Seu sangue comprou para Deus os que procedem de toda tribo, língua, povo e nação (Ap 5.9). O próprio Pai é quem traz os seus escolhidos ao Seu Filho. Jesus afirmou: *Todo aquele que o Pai me dá, esse virá a mim; e o que vem a mim, de modo nenhum o lançarei fora. [...]. Ninguém pode vir a mim se o Pai, que me enviou, não o trouxer...* (Jo 6.37,44).

Em terceiro lugar, a ida das nações gentias revela um método eficaz de evangelização (8.22,23).

Primeiro, a evangelização é uma tarefa pessoal. As estatísticas mostram que a maioria das pessoas salvas hoje vem à fé por intermédio do testemunho pessoal de um amigo ou familiar. Ainda que sejam convertidas por meio da pregação, a razão pela qual vieram à igreja, em primeiro lugar, foi por conhecer um cristão daquela igreja.

Segundo, a evangelização implica transmitir uma mensagem. O apóstolo Paulo ensina: *Como, porém, invocarão aquele em quem não creram? E como crerão naquele de quem nada ouviram? E como ouvirão, se não há quem pregue? E como pregarão, se não forem enviados? Como está escrito: Quão formosos são os pés dos que anunciam coisas boas!* (Rm 10.14,15).

Terceiro, a evangelização requer um testemunho vivo. Os ímpios não leem a Bíblia, mas os cristãos a leem. A pregação precisa ser acompanhada com o testemunho. Não podemos separar o que Deus uniu: doutrina e vida, teologia e ética, credo e conduta, pregação e exemplo. Martyn Lloyd-Jones é oportuno quando diz que a glória do evangelho consiste em que, quando a igreja é absolutamente diferente do mundo, ela sempre o atrai. É assim que o mundo dá ouvidos à sua mensagem, apesar de, inicialmente, ter aversão a ela. É desse momento que surge um avivamento.[20]

Em quarto lugar, a salvação dos gentios acontece por meio de Jesus (8.23). Zacarias fala sobre pessoas de todas as nações agarrando-se a um judeu pela orla de suas vestes. Baldwin diz que agarrar-se à orla da veste não é tanto um gesto de solicitação ou desejo de ajuda, ou a indicação de um sentimento de inferioridade, mas a expressão de seu anseio por desfrutar as bênçãos e os privilégios que os judeus possuem.[21] Concordo, entretanto, com Richard Phillips quando ele diz que essa é uma figura eloquente da fé em Jesus Cristo. Esse judeu é o único Mediador entre Deus e os homens (1Tm 2.5). Confiar em Jesus é agarrar-se à Sua veste, à Sua justiça, e abandonar nossas próprias justiças, ou seja, nosso trapo encardido.[22]

Notas

1 Baldwin, J. G. *Ageu, Zacarias e Malaquias: introdução e comentário*, p. 121.

2 Phillips, Richard D. *Zacarias*, p. 170.

3 Greathouse, William M. O livro de Zacarias. In: *Comentário bíblico Beacon*, p. 318.

4 Baldwin, J. G. *Ageu, Zacarias e Malaquias: introdução e comentário*, p. 122.

5 Calvin, John. *Commentaries on the twelve minor prophets*, p. 194.

6 Boice, James Montgomery. *Romans*. Vol. 4. Grand Rapids, MI: Baker Books, p. 1859.

7 Baldwin, J. G. *Ageu, Zacarias e Malaquias: introdução e comentário*, p. 291.

8 Wiersbe, Warren W. *Comentário bíblico expositivo.* Vol. 4, p. 573.

9 Phillips, Richard D. *Zacarias*, p. 168.

10 Wiersbe, Warren W. *Comentário bíblico expositivo.* Vol. 4, p. 573.

11 Phillips, Richard D. *Zacarias*, p. 168.

12 Baldwin, J. G. *Ageu, Zacarias e Malaquias: introdução e comentário*, p. 123.

13 Ibidem, p. 126.

14 Achtemeier, Elizabeth. *Nahum-Malachi.* Atlanta, GA: John Knox, 1986, p. 141.

15 Baldwin, J. G. *Ageu, Zacarias e Malaquias: introdução e comentário*, p. 126.

16 Ibidem, p. 127.

17 Phillips, Richard D. *Zacarias*, p. 180.

18 Ibidem, p. 183.

19 Meyer, F. B. *Zacarias: o profeta da esperança*, p. 60.

20 Lloyd-Jones, Martyn. *Exposition on the Sermon on the Mount.* Vol. 1. Grand Rapids, MI: Eerdmans, 1959, p. 37.

21 Baldwin, J. G. *Ageu, Zacarias, Malaquias: introdução e comentário*, p. 294.

22 Phillips, Richard D. *Zacarias*, p. 187-188.

Capítulo 14

Julgamento e livramento

(Zc 9.1-17)

A PRIMEIRA PARTE DO LIVRO (caps. 1—8) se encerrou com o encorajamento aos judeus pós-exílicos a cobrar ânimo na reconstrução do templo. Agora (caps. 9—14), inicia-se a segunda parte da obra, com oráculos divinos mostrando o julgamento das nações e o surgimento do Messias, trazendo salvação ao Seu povo.

Charles Feinberg diz que os capítulos 1—8 versam sobre Israel quando a nação estava sob o governo medo-persa; os capítulos 9 e 10, quando ela era governada pela Grécia; o capítulo 11, quando se encontrava sob o domínio romano; e os capítulos 12—14, quando estiver nos últimos dias de sua história nacional.[1]

Destacamos que os capítulos 1—8 estão claramente datados. Já os capítulos 9—14 não têm datas e também diferem em estilo.

Zacarias muda de estilo e de ênfase. Dionísio Pape diz que a segunda parte do livro é tão diferente em estilo da primeira que muitos comentaristas consideram que o autor tenha sido outro, e não Zacarias. Não há mais menção da restauração do templo, tema principal da primeira parte. Não há mais visões, nem anjos, nem poesia apocalíptica. A ênfase da segunda parte é messiânica, com a esperança de um reino eterno.[2] Estamos em outra situação histórica e profética.[3] Praticamente toda a academia liberal rejeita a autoria de Zacarias dessa segunda parte do livro,[4] mormente porque não crê na possibilidade de antevisão do futuro e nega a possibilidade de verdadeira profecia. Porém, concordo com Charles Feinberg quando ele diz: "Um supernaturalismo bíblico saudável é o melhor antídoto para todo o naturalismo cético".[5] Hipoteco apoio ao que defende Phillips: "A abordagem mais razoável é aceitar o texto como está, uma palavra profética de Deus por intermédio do profeta Zacarias".[6]

O julgamento sobre o Império Medo-Persa (9.1)

A fórmula introdutória já não é "a palavra do Senhor", mas o peso da palavra do Senhor. Zacarias vem com uma mensagem pesada, "massa", uma palavra de juízo sobre os inimigos que oprimiram o povo de Deus. F. B. Meyer diz que, mediante essa expressão, somos alertados sobre as novas de tristeza e desastres que estão prestes a sobrevir às nações às quais são dirigidas, ou seja, Tiro, ao norte, e Ascalom, Gaza e Ecrom, ao sul. Essas sentenças pesam

Julgamento e livramento

sobre a alma do profeta, que provavelmente já era de idade avançada quando as anunciou.[7]

A sentença de Deus vem primeiro à terra de Hadraque. Andrew Hill acredita que esta era uma cidade-estado a nordeste da Síria, conhecida como a antiga cidade de Hatarikka.[8] Porém, não há consenso sobre a precisa identificação dessa região. Richard Phillips é de opinião que essa é uma descrição do Império Medo-Persa, e justifica sua posição dizendo que o nome "Hadraque" é uma combinação de dois termos que significam duro e mole (*chad* e *rak*), portanto denota o caráter dividido da Pérsia, conhecida tanto por sua força militar e econômica quanto por sua fraqueza moral. Esse tipo de palavra-código é, às vezes, usado nas Escrituras principalmente para designar uma nação que está no poder (Is 21.11; 19.1,2,7; Jr 25.26; 51.41).[9] Esse reino que dominava Judá no período da reconstrução do templo seria julgado por Deus e cairia nas mãos do Império Grego.

O julgamento sobre a Síria (9.1,2a)

A profecia de Zacarias aponta a ação militar empreendida por Alexandre Magno, filho de Felipe da Macedônia e discípulo de Aristóteles, em suas campanhas expansionistas. Damasco, a capital da Síria, inimigo tradicional de Israel (Am 1.3), bem como Hamate, uma cidade fortificada às margens do rio Orontes, foram conquistadas por esse grande guerreiro grego. Charles Feinberg diz que, após a Batalha de Isso, Alexandre rapidamente conquistou Damasco, Sidom, Tiro, Gaza, Ascalom, Asdode e Ecrom. O curso de suas vitórias em 332 a.C. foi desde o norte da Síria ao sul pelo vale do rio Orontes até Damasco, depois ao longo da costa da Fenícia e da Filístia.[10] O livro apócrifo de 1Macabeus resume a trajetória de Alexandre com cores vivas e o faz da seguinte maneira:

> Aconteceu que Alexandre, o macedônio, filho de Felipe que já era senhor da Hélade, tendo saído da terra de Cetim, depois de vencer e desbaratar Dario, rei dos persas e dos medos, tornou-se rei em seu lugar. Avançou até as extremidades do mundo e tomou os despojos de uma multidão de povos, e a terra silenciou diante dele! Assim exaltado, seu coração se elevou. E recrutou um exército sobremaneira poderoso, submetendo províncias, nações e soberanos, que se tornaram seus tributários. Depois de tudo isso, caiu doente e percebeu que ia morrer. Convocou então seus oficiais, os nobres que tinham com ele convivido desde a mocidade, e, estando ainda em vida, repartiu entre eles o seu reino. Alexandre havia reinado por doze anos quando morreu. Seus oficiais tomaram o poder, cada qual no lugar que lhe coube. Todos cingiram o diadema após sua morte, e depois deles, seus filhos, durante muitos anos. E multiplicaram os males sobre a terra (1Mc 1.1-9).

O julgamento sobre a Fenícia (9.2b-4)

As campanhas militares de Alexandre chegaram à Fenícia, e suas cidades ricas, Tiro e Sidom, fortemente protegidas e até então inexpugnáveis, caíram nas mãos desse bravo conquistador. James Kennedy diz que Tiro, grande cidade da costa leste do Mediterrâneo, era para o mar aquilo que a Babilônia era para a terra.[11] Tiro, porém, com toda a sua riqueza, sabedoria e inexpugnabilidade, foi arrasada, primeiro por Nabucodonosor e depois por Alexandre Magno, a ponto de suas muralhas serem derrubadas, seu solo ser raspado e suas penhas se tornarem enxugadouros de redes.

Destacamos alguns pontos aqui.

Em primeiro lugar, Tiro não poderá ser salva por sua sabedoria (9.2). Os tírios eram famosos por sua sabedoria

Julgamento e livramento

(Ez 28.3,4,5,12,17). A sabedoria do mercador bem-sucedido se transferira para a diplomacia também. O versículo 3 mostra de que modo ela exibia sua sabedoria: fortificou-se o mais que pôde e acumulou prata e ouro.[12] O profeta Ezequiel atesta isso: *Pela tua sabedoria e pelo teu entendimento, alcançaste o teu poder e adquiriste ouro e prata nos teus tesouros; pela extensão da tua sabedoria no teu comércio, aumentaste as tuas riquezas; e, por causa delas, se eleva o teu coração* (Ez 28.4,5).

Apesar de os conselheiros de Tiro serem famosos por sua sabedoria, o Senhor a despojaria, precipitando ao mar o seu poderio e consumindo pelo fogo seus palácios. Eis a dramática descrição de Ezequiel:

> *Roubarão as tuas riquezas, saquearão as tuas mercadorias, derribarão os teus muros e arrasarão as tuas casas preciosas; as tuas pedras, as tuas madeiras e o teu pó lançarão no meio das águas. Farei cessar o arruído das tuas cantigas, e já não se ouvirá o som das tuas harpas. Farei de ti uma penha descalvada; virás a ser um enxugadouro de redes, jamais serás edificada, porque eu, o SENHOR, o falei, diz o SENHOR Deus* (Ez 26.12-14).

A cidade de Tiro nunca mais foi reconstruída, e o aterro de Alexandre continua lá até hoje.[13] A profecia de Ezequiel é contundente: *Assim diz o SENHOR Deus: Eis que eu estou contra ti, ó Tiro, e farei subir contra ti muitas nações, como faz o mar subir as suas ondas. Elas destruirão os muros de Tiro e deitarão abaixo as suas torres; e eu varrerei o seu pó, e farei dela penha descalvada. No meio do mar, virá a ser um enxugadouro de redes, porque eu o anunciei, diz o SENHOR Deus...* (Ez 26.3-5). James M. Boice diz que a ruína de Tiro é um monumento à verdade da profecia e à insensatez do orgulho humano.[14]

Em segundo lugar, Tiro não poderá ser salva por sua riqueza (9.3). Apesar de Tiro ter construído para si uma fortaleza numa ilha aparentemente inexpugnável, e haver amontoado prata como pó e ouro como a lama das ruas, não resistiu ao engenho conquistador de Alexandre Magno. O profeta Isaías destaca a riqueza das cidades de Tiro e Sidom, dizendo que esta enriqueceu navegando pelo mar e aquela era considerada a feira das nações (Is 23.2,3).

Em terceiro lugar, Tiro não poderá ser salva por suas fortalezas (9.3,4). As fortalezas de Tiro eram um quebra-mar de 750 metros de comprimento e 8 de largura, construído no tempo de Hirão, rei de Tiro, amigo de Davi e Salomão, para defender as fortificações da ilha.[15] Greathouse corrobora essa ideia dizendo que a cidade de Tiro estava situada em uma ilha distante uns 800 metros do continente e era totalmente cercada por muros maciços. Phillips acrescenta que a cidade era rodeada por duas muralhas de 50 metros de altura e era ainda mais impenetrável diante da defesa de sua marinha.[16]

Contudo, ainda que a cidade se considerasse inconquistável, as calamidades preditas por Zacarias verdadeiramente se abateram sobre ela. Alexandre, o Grande, construiu um dique artificial do continente à ilha, ou seja, uma ponte das ruínas da antiga cidade que ligava o continente à ilha, e, depois de um assédio de sete meses, destruiu completamente a cidade orgulhosa e matou milhares de seus habitantes.[17] Baldwin diz que os assírios conquistaram Tiro em 722 a.C., depois de um cerco de cinco anos, e Nabucodonosor a sitiou por treze anos, antes de se retirar, sem nada conseguir em 572 a.C. (Ez 29.18). Os persas, por sua vez, tomaram a cidade, mas foi Alexandre, o Grande, quem quebrou a resistência de Tiro, construindo um molhe da terra até a ilha, ou seja, um

Julgamento e livramento

sólido aterro que ia da costa à ilha, usando pedras, madeira e entulho da velha cidade. Quando a cidade capitulou, ele foi cruel com a população, matando seus líderes e vendendo muitos como escravos.[18] Riquezas, fortificações e tudo mais foram lançados ao mar (Ez 26.4-12; 27.27).

O julgamento sobre a Filístia (9.5-7)

A devastação que cairia sobre Damasco, ao norte, se estenderia em direção ao sul até que os piores temores de Gaza, Ascalom e Ecrom se realizassem em sua completa destruição. Ao mesmo tempo que essas cidades estão caindo nas mãos de Alexandre, a cidade de Jerusalém está sendo defendida por forças invisíveis contra as forças militantes. Deus mesmo está acampado ao redor da cidade, como muros de fogo. Essas profecias se cumpriram literalmente quando todas essas cidades caíram sob os exércitos de Alexandre, mas a cidade de Jerusalém foi poupada.

Destacamos alguns pontos aqui:

Em primeiro lugar, as cidades perdem seus reis (9.5). Quando a cidade de Gaza foi tomada, os seus habitantes foram vendidos como escravos, e outros foram cruelmente passados a fio de espada. Betis, seu bravo rei, foi amarrado à carruagem do conquistador e arrastado pelas ruas da cidade até a morte.[19]

Em segundo lugar, as cidades perdem seus habitantes (9.5b). Somos informados que Ascalom não será habitada. A cidade vira um ermo, um deserto, sem gente para habitá-la.

Em terceiro lugar, as cidades perdem sua autonomia (9.6). Asdode será repovoada com estrangeiros. Eles perdem seus habitantes nativos, e um povo bastardo passa a habitar em Asdode.

Em quarto lugar, as cidades perdem sua altivez (9.6b). Deus quebra a soberba dos filisteus. O instrumento que Deus usa para esse ato é Alexandre com seu poderoso exército. A sabedoria, a riqueza e as fortes muralhas que protegiam suas cidades, tudo isso não pôde protegê-los.

Em quinto lugar, as cidades perdem sua religião (9.7). Deus põe abaixo também os rituais pagãos das cidades filisteias. Os restantes que ficaram, Deus os incorporou ao Seu povo.

O livramento do povo de Deus (9.8)

Durante todo esse turbilhão e luta na Síria, na Fenícia e na Filístia, Deus promete acampar-se ao redor de Sua casa para protegê-la. Enquanto o Império Medo-Persa e as cidades mais importantes da Síria, Fenícia e Filístia caíam nas mãos da Grécia pelo engenho militar de Alexandre, o próprio Deus armava uma barricada ao redor de Jerusalém e se colocava como sentinela em torno do Seu povo. Ele, que havia prometido ser como um muro de fogo ao redor da cidade (2.5), agora arma Seu acampamento ao redor de Jerusalém e defende Seu povo do opressor.

Esse livramento de Jerusalém pode ser notado também na época de Alexandre Magno, especialmente se confiarmos no registro de Flávio Josefo (*Antiguidades*, XI.viii,3-5), o ilustre historiador judeu do primeiro século depois de Cristo. Segundo esse célebre estudioso, Alexandre se envolveu com algumas questões em Jerusalém durante o cerco de Tiro e Gaza. Phillips faz o seguinte registro:

> Deus respondeu em sonho, instruindo Jadua, sumo sacerdote, a enfeitar a cidade com grinaldas e abrir os portões. As pessoas deveriam sair vestidas de roupa branca, e os sacerdotes deveriam usar túnicas azuis e brancas correspondendo à sua ordem, e o sumo sacerdote

Julgamento e livramento

deveria usar a insígnia e couraça sobre a cabeça com a inscrição: "Santo ao Senhor".

Alexandre observou essa procissão com espanto, prosseguiu adiante sozinho e, ao encontrar-se com o sumo sacerdote, prostrou-se em terra diante dele. As tropas de Alexandre ficaram horrorizadas com aquela cena, e seu general, Parmênio, indagou sobre seu estranho comportamento. O grande conquistador explicou que estava adorando não o sacerdote, mas o Deus a quem ele servia. "Pois foi ele quem eu vi em meu sonho vestido como ele está, quando eu estava em Dior, na Macedônia. Quando refletia sobre como poderia me tornar senhor da Ásia, ele insistiu que eu não hesitasse, mas prosseguisse confiantemente, pois ele mesmo conduziria meu exército e me entregaria o império dos persas."[20]

Richard Phillips, ao examinar o cumprimento rigoroso das profecias de Zacarias, destaca algumas verdades doutrinárias assaz importantes. A primeira delas é a soberania de Deus. Mesmo que Alexandre tenha sido o instrumento para derrubar o poder do Império Medo-Persa e as fortificadas cidades da Síria, Fenícia e Filístia, o texto bíblico afirma que foi Deus quem fez isso. A soberania de Deus não descarta as causas secundárias. A segunda verdade é a certeza do julgamento divino sobre o soberbo e o perverso. A Escritura diz que *Deus resiste aos soberbos, mas dá graça aos humildes* (1Pe 5.5). A terceira verdade é que Deus é o defensor do Seu povo (9.8; Hb 13.5,6; Sl 121).[21]

O Rei da paz e Seu glorioso reino (9.9,10)

Zacarias passa das conquistas militares de Alexandre para a chegada do Rei da paz, o Messias prometido (Mt

21.5; Is 9.1-7). Greathouse diz que Zacarias prevê a carreira promissora de Alexandre, o Grande (336-323 a.C.). Não é por acaso que essa passagem antecede a predição do rei messiânico. O grande guerreiro preparava o caminho para Cristo. Nessa previsão, o profeta leu o futuro com mais nitidez do que poderia ter percebido naqueles dias, pois, pela expansão do idioma grego que adveio de suas conquistas, Alexandre nem sonhava estar preparando o caminho para a *Septuaginta* e o Novo Testamento, nos quais a história de nosso Deus foi contada para todo o mundo. Assim, Alexandre foi um dos preparadores do caminho para a vinda do Senhor.[22]

Destacamos a seguir alguns pontos importantes sobre o Rei da paz.

Em primeiro lugar, o caráter do Rei (9.9). Há um grande contraste entre o conquistador grego que subjuga os povos montado em seu corcel fogoso, empunhando sua espada, e o Rei que se apresenta trazendo salvação para o Seu povo. Charles Feinberg diz que, enquanto o Alexandre grego veio para derrubar e destruir, o Messias justo vem para salvar e redimir. O rei terreno veio com pompa e orgulho; o Senhor do céu veio montado num humilde jumentinho. Cavalgar um jumento revela humildade da condição exterior e também da disposição interior. Ele veio em paz porque o jumento era o animal de paz (Gn 49.11).[23]

Três verdades devem ser destacadas sobre o Seu caráter.

Primeiro, Ele é justo (9.9). Ele é justo porque nunca pecou. Ele é justo porque nasceu sob a lei, viveu em obediência à lei e cumpriu cabalmente a lei.

Segundo, Ele é benevolente (9.9). Ele não veio oprimir e esmagar como os reis conquistadores do passado, mas para trazer salvação.

Terceiro, Ele é humilde (9.9). Ele veio montado num jumentinho, e não em carruagens. Veio para estabelecer a paz, e não para provocar a guerra. Veio para dar a Sua própria vida, e não para ceifar a vida dos Seus conquistados. Corroborando esse pensamento, F. B. Meyer diz que o Messias não traz nenhum cavalo fogoso, nenhum estandarte desfraldado à brisa, nenhum longo cortejo de guerreiros. Leve como a brisa de verão, irresistível como a luz do sol diante do qual grandes pontes se curvam, humilde como uma criança —, seu Rei, seu Rei aí vem. E diante de Seu advento as barras se desfazem, como os blocos de gelo que se derretem na primavera, permitindo a passagem do navio aprisionado.[24] A. W. Pink lança luz sobre a humildade de Jesus, ao escrever:

> Observe aqueles a quem Ele escolheu para serem seus embaixadores. Ele não escolheu sábios, eruditos, poderosos, nobres, mas, em grande parte, pobres pecadores. Testemunho disso está nos companheiros que tinha: Ele não procurou os ricos e famosos, mas foi "amigo de publicanos e pecadores". Veja isso nos milagres que realizou: repetidamente Ele ordenou que a pessoa curada não dissesse a ninguém o que lhe acontecera. Atente a isso no Seu modesto serviço: ao contrário dos hipócritas, que tocavam trombetas diante de si, Ele não procurou notoriedade, evitou publicidade e desprezou a popularidade [...]. Quando, em cumprimento à profecia, Ele se apresentou a Israel como rei, entrou em Jerusalém "humilde e montado em um jumentinho".[25]

Em segundo lugar, a natureza do Seu reino (9.9,10). Zacarias trata de Seu reino de graça e de Seu reino de glória. Aborda tanto Sua primeira vinda como Sua segunda vinda. Fala tanto sobre Sua vinda em humilhação quanto sobre Sua parúsia em glória. Vejamos.

Primeiro, um reino de paz (9.9,10). Ao descrever o Rei montado num jumentinho, o profeta descreve Seu reino de paz. Ele não vem montado num cavalo fogoso, acompanhado de soldados fortemente armados, brandindo Sua espada como Alexandre, mas vem para estabelecer a paz entre as nações. Andrew Hill tem razão ao dizer que os reinos da Assíria, Babilônia, Persa, Grécia, e mesmo o reino de Davi, foram estabelecidos por conquistas militares. Por contraste, o Messias irá desmantelar a maquinaria de guerra e erradicar todo arsenal bélico para estabelecer o seu reino de paz.[26] Gilberto Gorgulho diz que o futuro da comunidade dos judeus pós-exílicos não está na tranquilidade da paz do Império Persa nem no militarismo conquistador dos macedônios. O futuro está na paz que é trazida pelo Rei da paz (9.9-12).[27]

Segundo, um reino universal (9.10). Seu reino se estenderá de mar a mar. Os reinos deste mundo cairão, mas Seu reino dominará. Seu reino derruba todas as muralhas, triunfa sobre todas as fortalezas e conquista corações entre todos os povos.

Terceiro, um reino perpétuo (9.10). A menção dos carros de Efraim e dos carros de Jerusalém lembra que o Reino do Norte e o do Sul serão reunificados. Seu reino destruirá todas as forças de oposição. Os carros e os arcos de guerra serão destruídos. O mal será vencido. Todos os inimigos serão colocados debaixo de Seus pés (1Co 15.25).

Em terceiro lugar, as bênçãos do Seu reino (9.9,10). Seu reino traz duas bênçãos superlativas.

Primeiro, exuberante alegria (9.9). O povo de Deus é ordenado a alegrar-se muito e a exultar. Essa alegria é a própria força do povo de Deus. Quando o Rei nasceu em

Belém, a mensagem angelical foi que estava trazendo uma boa-nova de grande alegria para todo o povo.

Segundo, segurança inabalável (9.10). O Rei da paz destruirá os instrumentos do mal e proclamará a paz a todas as nações. Agora, em Seu reino de graça, já desfrutamos dessa paz e, em Seu reino de glória, essa paz será completa e total.

O Rei Salvador e Sua obra de libertação no passado (9.11)

Depois de descrever o Rei e Seu reino, Zacarias passa a mostrar a Sua obra salvadora no passado. O povo que estava no cativeiro era como prisioneiros numa cova escura e sem água. Três fatos podem ser aqui analisados.

Em primeiro lugar, a condição dos que estavam na cova (9.11). Estar numa cova sem água é o mesmo que dizer que os judeus levados para a Babilônia estavam numa situação de escuridão e total desespero. Eles não podiam sair dessa cova por si mesmos. Estavam rendidos ao mais completo desespero. Isso levou Baldwin a dizer que ser tirado de um abismo onde não havia água potável era passar da morte para a vida.[28] F. B. Meyer diz que parecia ao profeta que Israel era semelhante a camponeses aterrorizados, abrigando-se em alguma cisterna escura e seca nas montanhas, longe dos vales, temendo a cada dia que seu esconderijo fosse descoberto e eles próprios fossem arrastados de lá, tingindo com sangue a verde relva.[29]

Em segundo lugar, o preço da libertação dos que estavam na cova (9.11). Zacarias informa que o preço da libertação dos cativos foi o sangue da aliança. Ao fazer Deus uma aliança com Abraão, ele a ratificou pela mistura do sangue de uma novilha, uma cabra, um cordeiro de três anos, uma rola e um pombo (Gn 15.9-11). Mais tarde, à sombra dos salientes penhascos do Sinai, Deus ampliou esse pacto de sangue com Moisés (Êx 24.5-8). A sua renovação contínua podia ser vista com os sacrifícios diários no templo (Êx 29.38-46). Mas essa aliança alcançou seu apogeu e pleno cumprimento com o sangue de Jesus, o Filho de Deus. Quando Jesus instituiu a ceia, disse: *Isto é o meu sangue, o sangue da [nova] aliança, derramado em favor de muitos* [para remissão de pecados] (Mc 14.24). É por causa do sangue da aliança, desse pacto imutável, que Deus não desistiu do Seu povo; antes, Ele o tirou da escravidão, dessa cova de morte. Concordo com as palavras de F. B. Meyer:

> Por causa do sangue da aliança, Deus retirará das covas a cada um dos seus filhos. Onde quer que se encontrem, e não importa quão densas as paredes de suas prisões, Deus os libertará. Por causa do juramento que fez a si mesmo, e por causa do sangue da aliança, ele curvará os céus e descerá, cavalgará um querubim e voará, certamente livrará dos laços e das complicações do mal os seus filhos.[30]

Em terceiro lugar, o método de libertação dos que estavam na cova (9.11). Deus tirou o Seu povo da escravidão, do amargo cativeiro, da cova escura e sem água, mediante Seu extraordinário poder e por causa da Sua maravilhosa graça.

O Rei Salvador e Sua obra de libertação no presente (9.12)

Zacarias muda o verbo do passado (9.11) para o presente (9.12). Agora, ele fala sobre libertação daqueles que ainda permaneciam na Babilônia. Esses são convocados a voltarem. Esses são ordenados a deixar a Babilônia. Aquela não era mais uma terra segura. O juízo de Deus passaria por lá. Jerusalém não era mais um lugar perigoso, mas uma fortaleza. Ficar na Babilônia era perecer; retornar a Jerusalém era entrar numa fortaleza. O profeta chama esses judeus que preferiram ficar na Babilônia depois do fim do exílio em vez

Julgamento e livramento

de voltar para Jerusalém com o remanescente de prisioneiros de esperança. É como se o profeta estivesse dizendo:

> Ó presos de esperança, ergam a cabeça! Sua salvação vem de Sião. Voltem-se para a fortaleza. O inimigo foi expulso. Não há mais que temer seu ataque. Façam sua morada na fortaleza do cuidado e do amor de Deus, no baluarte da sua justiça, e na guarda da sua aliança.[31]

Destacamos alguns pontos a seguir:

Em primeiro lugar, quem são os prisioneiros de esperança? São aqueles que deixaram de ouvir a voz de Deus e foram disciplinados por Ele. São aqueles que perderam os privilégios da comunhão com Deus e hoje estão longe da Casa do Senhor. São aqueles que, mesmo Deus tendo aberto a cova escura e sem água, preferiram ficar nessa prisão. São aqueles que estão vivendo uma aparente segurança na Babilônia, acomodados nessa terra de ilusão. São aqueles que estão encantados com os favores da Babilônia e se tornaram amigos da cidade condenada e passaram a amar o mundo e o que há no mundo. São todos aqueles que vivem acorrentados pelos seus pecados, prisioneiros do vício.

F. B. Meyer, aplicando essa passagem aos cristãos, escreve:

> Assim, em todas as épocas, o povo de Deus tem sido aprisionado. O leitor pode ter sido preso na armadilha do mal deste mundo. Mesmo não tendo por ele a menor simpatia, você, de alguma forma, viu-se envolvido pelas armadilhas e labores de tramas malignas. Do mesmo modo que o animal selvagem correndo descuidadamente pela clareira encontra-se subitamente no fundo de um buraco escuro, preparado e escondido pelo caçador, assim também você, que começou a vida tão inocentemente e passou a infância tão descuidadamente, achou-se envolvido com pessoas e coisas das quais não consegue se desvencilhar. Você não as deseja — eles o irritam e provam —, mas não

consegue livrar-se delas. Parece que um espírito maligno o laçou, não em sua alma, mas em seu lar e circunstâncias.

Ou talvez você tenha sido feito cativo pelo diabo e ficado à mercê dele. Não há dúvida quanto à sua filiação; em seus melhores momentos, o Espírito de Deus testemunha claramente ao seu espírito que você nasceu de novo; você sente forte desejo de levar salvação aos outros, e foi às vezes usado de forma maravilhosa para despertá-los e confortá-los. No entanto, durante longos e tristes períodos você se parece mais com um escravo manietado pelo grande inimigo das almas. Levado por fortes ventos de paixão, adernado nas docas, carregando tanta água que o progresso na vida divina parece impossível, você só pode derivar ao sabor das marés.

Ou talvez você tenha caído em profundo desânimo, em parte por causa da falta de saúde, em parte por ter desviado o olhar do rosto de Cristo, fixando-o no vento e nas ondas. Todos esses são presos, presos de esperança.[32]

Em segundo lugar, como os prisioneiros de esperança podem ser libertos? Os prisioneiros de esperança podem ser libertos por causa do sangue da aliança. Deus não desistiu do Seu povo. Deus não abre mão de sua vida. Por causa do sangue de Jesus, há esperança para você. Os prisioneiros de esperança podem ser libertos por causa do convite da graça. *Voltai à fortaleza...* Deus nos chama para si mesmo. Ele nos conclama à reconciliação por meio de Cristo. A expiação de Cristo e as promessas das Escrituras são garantias sólidas aos prisioneiros de esperança. Os prisioneiros de esperança podem ser libertos por entrarem na fortaleza. O mundo estará debaixo do juízo divino. O dilúvio lá fora consumirá a todos, mas quem estiver dentro da arca será salvo. O anjo acionará a espada da morte sobre os primogênitos, mas quem estiver debaixo do sangue será poupado. Quem estiver na fortaleza que é Cristo escapará. F. B. Meyer corrobora essa ideia com as seguintes palavras:

> Há esperança segura e certa da libertação dos prisioneiros de esperança. No fim, emergirão de suas prisões como Pedro, guiado por um anjo. As nuvens teriam mais sucesso em aprisionar o sol que qualquer uma destas condições sombrias em segurar permanentemente um dos filhos de Deus. Eles pertencem à luz e ao dia; e, embora não a vejam, a Esperança como um anjo de Deus está a postos, apenas aguardando o sinal para abrir a porta da prisão. O prisioneiro, para quem a sentença capital foi lavrada, e que não tem amigos poderosos e sábios para rogar a seu favor, bem que poderia perder a esperança ao passar pelas muralhas maciças da fortaleza e ouvir os pesados portões, um após o outro, bater e trancar-se atrás dele. Mas quando a justiça e a verdade estiverem do seu lado, quando tiver sido vítima de esperteza e malícia, se houver uma esposa dedicada e amigos poderosos para desposarem a sua causa, embora encarcerado, acorrentado na Ilha do Diabo, e embora os anos tediosos o deixem para trás, ainda é um preso de esperança e sairá de novo para a luz do dia. Todos os filhos de Deus são presos de esperança.[33]

Em terceiro lugar, qual é a ordem e a promessa feitas aos prisioneiros de esperança? (9.12). A ordem é voltar. A promessa é restituir. Não há mais tempo a perder. Assim como o juízo de Deus caiu sobre Sodoma e Gomorra, e Deus ordenou que Ló e sua família fugissem apressadamente das cidades condenadas, também o juízo de Deus cairia sobre essa terra cheia de covas de morte, e o Seu povo precisava voltar para a fortaleza.

Essa mesma ordem mais tarde é dada no livro de Apocalipse, falando sobre a Babilônia, a mãe das meretrizes: *Retirai-vos dela, povo meu, para não serdes cúmplices em seus pecados e para não participardes dos seus flagelos* (Ap 18.4). O Deus que disciplina é o Deus que perdoa, restaura e restitui. O Senhor promete porção dupla de alegria como recompensa pelas tristezas passadas.

Nós, povo da aliança, somos hoje ainda prisioneiros de esperança: somos prisioneiros de um corpo não glorificado (Rm 8.23); somos prisioneiros de um conhecimento limitado (1Co 13.12); somos prisioneiros de uma comunhão fraternal fragmentada (Fp 2.5); somos prisioneiros de uma visão imperfeita de Cristo (1Jo 3.2).

O Rei Salvador e Sua obra de libertação no futuro (9.13-17)

Zacarias deixa de usar os verbos no passado e no presente e passa a usá-los no futuro. Ele vai falar sobre uma libertação que ocorrerá no futuro. O profeta se refere a um exército sendo convocado (9.13), um conflito sendo descrito (9.14,15) e uma vitória sendo garantida (9.16,17).[34] William Greathouse diz que encontramos aqui a prometida vitória de Sião sobre a Grécia. Nos dias de Zacarias, os gregos já chamavam a atenção do Oriente Médio. Os judeus que voltaram do cativeiro já teriam ouvido falar do incêndio de Sardes (499 a.C.) e da Batalha de Maratona (490 a.C.). Também já tinham conhecimento das vitórias dos gregos sobre Xerxes em Salamina, Plateia e Micale (480-479 a.C.).[35]

Phillips diz que, depois da morte repentina de Alexandre, em 323 a.C., seu império se fragmentou em quatro partes. Um de seus generais, Seleuco, obteve controle sobre os territórios orientais, que incluíam o Oriente Médio. Antíoco foi um de seus descendentes, por isso governou sobre os judeus. Preocupado com a ameaça crescente de Roma contra o seu reino, a qual começava expandir seus domínios no

Julgamento e livramento

mundo antigo, Antíoco se empenhou em unir seu reinado em torno de sua cultura grega pagã. Quando os judeus resistiram, ele respondeu com brutalidade. Interrompeu o culto e os sacrifícios do templo, destruiu os rolos das Escrituras, proibiu a circuncisão e até cometeu o pior insulto: sacrificar um porco em um altar pagão no templo. Nesse tempo, Deus levantou um líder, Judas Macabeu, que levou os judeus a uma série de impressionantes vitórias que varreram os gregos para fora de Jerusalém. Os macabeus garantiram um século de independência, até a chegada dos romanos, em 63 a.C., com Pompeu.[36]

Destacamos aqui três verdades solenes:

Em primeiro lugar, a vitória garantida sobre o mundo (9.13). Essa retumbante vitória sobre a Grécia é uma profecia sobre a vitória dos macabeus, libertando Jerusalém do domínio estrangeiro por mais de cem anos. Apesar da dispersão, os reinos do Norte e do Sul são seu arco e flecha, um essencial para o outro. Ele também o usará como espada de um valente.[37] O Senhor usa Seu povo como arma e Sião como espada.

Em segundo lugar, a presença de Deus manifestada (9.14,15). A linguagem aqui retrata uma verdadeira teofania. A vitória do povo de Deus não vem de recursos naturais, mas de uma manifestação sobrenatural de Deus derrotando Seus inimigos. É Deus quem dá vitória ao Seu povo.

Em terceiro lugar, a grande honra concedida (9.16,17). Deus, como pastor do Seu povo, salva-o como a um rebanho e coloca Seu povo como joias de Sua coroa. Aqui o profeta apresenta a preciosidade do povo de Deus. Eles são Seu rebanho e pedras de Sua coroa. Tudo isso para demonstrar Sua bondade e formosura.

Notas

[1] FEINBERG, Charles L. *Os profetas menores*, p. 296.

[2] PAPE, Dionísio. *Justiça e esperança para hoje*, p. 121.

[3] GREATHOUSE, William M. O livro de Zacarias. In: *Comentário bíblico Beacon*, p. 321.

[4] PHILLIPS, Richard D. *Zacarias*, p. 192.

[5] FEINBERG, Charles L. *Os profetas menores*, p. 296.

[6] PHILLIPS, Richard D. *Zacarias*, p. 194.

[7] MEYER, F. B. *Zacarias: o profeta da esperança*, p. 64.

[8] HILL, Andrew E. *Haggai, Zechariah and Malachi*, p. 205.

[9] PHILLIPS, Richard D. *Zacarias*, p. 194.

[10] FEINBERG, Charles L. *Os profetas menores*, p. 297.

[11] KENNEDY, James. *Por que creio*. Rio de Janeiro, RJ: Juerp, p. 13.

[12] FEINBERG, Charles L. *Os profetas menores*, p. 298.

[13] PHILLIPS, Richard D. *Zacarias*, p. 196.

[14] BOICE, James Montgomery. *The minor prophets*. Vol. 2, Grand Rapids, MI: Zondervan, 1986, p. 193.

[15] BALDWIN, J. G. *Ageu, Zacarias e Malaquias: introdução e comentário*, p. 131-132.

[16] PHILLIPS, Richard D. *Zacarias*, p. 195.

[17] GREATHOUSE, William M. O livro de Zacarias. In: *Comentário bíblico Beacon*, p. 322.

[18] BALDWIN, J. G. *Ageu, Zacarias e Malaquias: introdução e comentário*, p. 132.

[19] WOLFENDALE, James. *The preacher's complete homiletic commentary*. Vol. 20. Grand Rapids, MI: Baker Books, 1996, p. 648.

[20] PHILLIPS, Richard D. *Zacarias*, p. 197.

[21] Ibidem, p. 198-201.

[22] GREATHOUSE, William M. O livro de Zacarias. In: *Comentário bíblico Beacon*, p. 323.

[23] FEINBERG, Charles L. *Os profetas menores*, p. 300.

[24] MEYER, F. B. *Zacarias: o profeta da esperança*, p. 69.

[25] PINK, A. W. *Comfort for christians*. Grand Rapids, MI: Baker Books, 1993, p. 75.

Julgamento e livramento

[26] HILL, Andrew E. *Haggai, Zechariah and Malachi*, p. 210.

[27] GORGULHO, Gilberto. *Zacarias*, p. 92.

[28] BALDWIN, J. G. *Ageu, Zacarias e Malaquias: introdução e comentário*, p. 139.

[29] MEYER, F. B. *Zacarias: o profeta da esperança*, p. 66.

[30] Ibidem, p. 68.

[31] Ibidem, p. 70.

[32] Ibidem, p. 66.

[33] Ibidem, p. 67.

[34] WOLFENDALE, James. *The preacher's complete homiletic commentary*. Vol. 20, p. 655.

[35] GREATHOUSE, William M. O livro de Zacarias. In: *Comentário bíblico Beacon*, p. 324.

[36] PHILLIPS, Richard D. *Zacarias*, p. 208.

[37] BALDWIN, J. G. *Ageu, Zacarias e Malaquias: introdução e comentário*, p. 139.

Capítulo 15

O Pastor divino
(Zc 10.1-5)

O PROFETA ZACARIAS leva seus ouvintes a terem uma fé viva no Deus que os escolheu. Enquanto os ídolos vãos produzem engano e decepção aos que neles confiam, Deus é a fonte das bênçãos de Seu povo e o Seu Salvador.

Destacamos no texto em apreço sete verdades importantes.

O Pastor divino é o autor das bênçãos espirituais (10.1)

As chuvas que regam o campo e fazem o solo fértil produzir a erva não são resultado apenas de efeitos naturais, mas evidência da divina providência. Mesmo diante do extraordinário avanço da ciência, o homem não consegue controlar o clima nem mesmo administrar as chuvas. Sem água, não há vida. Podemos ter a melhor semente, o melhor solo, os melhores insumos e a melhor tecnologia, mas, sem água, a semente morre mirrada no ventre da terra. O povo de Deus não devia mais correr atrás dos ídolos vãos ou apenas tributar ao esforço de suas mãos as colheitas de suas lavouras. O profeta Ageu já havia alertado esse povo: *Tendes semeado muito e recolhido pouco* (Ag 1.6). E por quê? Porque o próprio Deus havia cerrado os céus e recolhido as chuvas como ato de Sua disciplina: *Por isso, os céus sobre vós retêm o seu orvalho, e a terra, os seus frutos. Fiz vir a seca sobre a terra e sobre os montes...* (Ag 1.10,11). Concordo com as palavras de Dionísio Pape: "O Senhor de Israel é Senhor não somente da História, mas também da natureza".[1]

Para obter uma colheita bem-sucedida, era crucial não só o trabalho árduo, mas a chuva, e a chuva não podia ser produzida pelas pessoas. Para desfrutar de uma colheita abundante, era preciso bastante chuva nos meses de outono, as chamadas "primeiras chuvas", que permitiam que as sementes brotassem e crescessem, e também era preciso bastante chuva nos meses da primavera, chamadas de "últimas chuvas", que faziam os grãos incharem dentro da palha.[2] É óbvio que as chuvas aqui são um símbolo de bênçãos espirituais. Por isso, estou de acordo com as palavras de Baldwin: "Quando chegamos a necessidades mais profundas, espirituais, das quais a chuva é símbolo, só há auxílio em Deus" (Is 44.3).[3]

O Pastor divino responde às orações (10.1)

O que os ídolos não podem fazer, o que as leis da natureza não podem operar por si mesmas, Deus faz, e o faz em resposta às orações do Seu povo. A oração é o meio apontado por Deus para a recepção das bênçãos. A soberania de Deus não dispensa a responsabilidade humana. Só Deus pode dar a chuva, mas Deus dá a chuva em resposta às orações do povo: *Pedi ao Senhor chuva no tempo das chuvas serôdias, ao Senhor, que faz as nuvens de chuva, dá aos homens aguaceiro e a cada um, erva no campo* (10.1). O povo de Deus não deveria buscar chuva por meios mágicos e proibidos, mas obtê-la do Senhor. Feinberg diz que as bênçãos de Deus sobre Israel são comparadas à chuva (Os 6.1-3), pois esta inclui todas as bênçãos materiais, emblemas das espirituais.[4] A bênção prometida por Deus é abundante. Ela vem na devida estação. E vem sinalizada por sinais visíveis.

O versículo 1 começa com a resposta de Zacarias ao problema das chuvas. Ele disse: *Pedi ao Senhor*. As pessoas dependiam de algo sobre que não tinham controle. Sem chuva do céu, as plantações simplesmente não produziriam, entretanto as pessoas não podiam fazer nada para chover. Portanto, elas deviam voltar-se a Deus em oração, suplicando Àquele que podia fazer chover, o Deus cujo poder controla todas as coisas. É o Senhor *que faz as nuvens de chuva*.[5] O que o profeta está dizendo para o povo que retornou do cativeiro e para nós hoje é que devemos confiar todas as nossas necessidades a Deus. Ele é poderoso e bom. Ele é a fonte de todo bem. A oração é um apelo a Deus por nossas necessidades e uma confissão de nossa fraqueza, nossa dependência e nossa confiança nEle. A oração declara que Ele é Deus, e não há outro.[6]

O Pastor divino reprova a confiança vã nos ídolos (10.2)

Zacarias faz uma transição do versículo 1, no qual fez um apelo à religião verdadeira por meio da fé e da oração, para o versículo 2, no qual expõe e condena a religião falsa e idólatra. Quando o povo abandona o culto verdadeiro para abraçar um culto falso, deixando a fonte de águas vivas, para cavar cisternas rotas, o resultado é trágico. Um ídolo é nada, é pau, é pedra, é gesso, mas quem está por trás dos ídolos sãos os demônios (1Co 10.19,20). Mas o que é um ídolo? Um ídolo é tudo aquilo que ocupa o primeiro lugar em nossa vida. É tudo aquilo em que confiamos em lugar de Deus.

O culto falso produz três resultados desastrosos, como vemos a seguir.

Em primeiro lugar, produz desapontamento (10.2). *Porque os ídolos do lar falam coisas vãs...* Os ídolos do lar eram venerados pelo povo de Deus desde os tempos remotos. Os terafins eram pequenos ídolos portáteis do lar, do tipo que Raquel levou da casa de seu pai, Labão (Gn 31.19). Os ídolos do lar eram usados no tempo dos juízes em adivinhação (Jz 17.5; 18.5), foram condenados na época de Saul (1Sm 15.23), mas até o século 8 a. C. ainda estavam em uso (Os 3.4).[7] Mesmo depois do cativeiro babilônico, quando o povo da aliança foi libertado desse laço, o profeta ainda alerta sobre esse perigo. O rei da Babilônia consultava esses ídolos do lar (Ez 21.21). Eram espécies de amuletos que as pessoas usavam para obter boa sorte diante das adversidades da vida. Zacarias diz que esses ídolos, embora inanimados, falavam coisas vãs. Seu consolo era falso. Sua mensagem era vã. A confiança nesses ídolos era um desastre. De acordo com Richard Phillips, o falso consolo diz que Deus está certamente contente com nossa adoração, quando, na verdade, Ele rejeita a adoração que não tenha sido ordenada por Ele.[8]

O *Pastor divino*

Em segundo lugar, produz engano (10.2). ... *e os adivinhos veem mentiras, contam sonhos enganadores e oferecem consolações vazias...* Os adivinhos eram pessoas que diziam ter visões e revelações por meio de sonhos.[9] No passado, Deus já havia falado através de sonhos, como fez com Jacó (Gn 28.12), José (Gn 37.5-9) e Nabucodonosor (Dn 2). Mas também havia profetas falsos que diziam ter sonhos divinos e enganavam muitos com suas mentiras (Jr 23.22; 27.9,10).[10] Esses adivinhos que interpretavam sinais para predizer o futuro tinham sido expulsos de Israel e substituídos pelos profetas (Dt 18.9-14).

Os adivinhos, com seus sonhos místicos e enganadores, oferecem consolações vazias àqueles que neles confiam. Prometem em nome de Deus o que Ele não está prometendo. Falam de paz, quando não há paz. Um exemplo clássico desses adivinhos mentirosos é Balaão, que induziu o povo de Israel ao erro, por causa da ganância (Jd 11). Não poucos recorrem ainda hoje a "profetas e profetisas", que iludem o povo com suas "revelações" místicas, espúrias e forâneas às Escrituras, fazendo o povo errar. Esses magos da fé alardeiam uma suposta intimidade com Deus, mas, com suas "profetadas", guiam aqueles que neles confiam por um caminho de apostasia e morte.

Em terceiro lugar, produz perigo certo (10.2). ... *por isso, anda o povo como ovelhas, aflito, porque não há pastor.* Phillips está correto quando diz que, em vez do verdadeiro consolo — o consolo que vem de Deus quando Ele perdoa nossos pecados e nos dá a paz em Jesus Cristo —, a falsa religião oferece meras distrações para corações insensatos, um consolo passageiro que é tanto irreal quanto vão.[11] Aqueles que seguem a falsa religião tornam-se como ovelhas sem pastor, vítimas de líderes fraudulentos, verdadeiros camelôs da fé, movidos pela ganância. É digno de nota que a ovelha é um animal míope, teimoso, vulnerável, que não sabe se proteger nem tem senso de direção. Uma ovelha sem pastor é presa fácil dos predadores. Aqueles que confiam nos ídolos ou nos adivinhos, como ovelhas errantes, caem nos abismos e nas garras do diabo.

O Pastor divino condena os falsos pastores (10.3a)

Deus, como pastor do Seu povo (Sl 80), tem zelo por ele. Por isso, ele toma duas atitudes contra os falsos pastores.

Em primeiro lugar, os falsos pastores são destinatários de Sua ira (10.3a). *Contra os pastores se acendeu a minha ira...* Quem pode resistir à ira do Deus Todo-poderoso? Quem pode suportar Sua indignação? Os falsos pastores, como lobos da noite, devoram as ovelhas. Em vez de conduzi-las pelas veredas da justiça, levam-nas pelos caminhos sinuosos e escorregadios do engano. Em vez de protegê-las, são a causa de sua ruína. Em vez de apascentá-las com sabedoria, tornam-se mestres de nulidades e guias de morte.

Em segundo lugar, os falsos pastores serão castigados por Deus (10.3a). *... e castigarei os bodes-guias...* Quando o profeta chama esses falsos líderes de "bodes-guias", sugere que aqueles líderes eram ilegítimos, que surgiram simplesmente por serem os mais ameaçadores do rebanho, e não verdadeiros pastores.[12] Os bodes-guias não lideram as ovelhas pelos caminhos da vida, mas as forçam a entrar pelos becos da morte. Jesus denunciou esses falsos líderes, os fariseus, chamando-os de hipócritas, serpentes e raça de víboras (Mt 23.33). Assim como o Senhor manifestou Sua ira contra os falsos pastores do tempo de Zacarias, Jesus diz que os escribas e fariseus hipócritas de Seu tempo não escapariam da condenação do inferno.

O Pastor divino cuida de Suas ovelhas (10.3b)

O pastor divino não apenas fica irado contra os falsos pastores, mas também os castiga. Quanto às Suas ovelhas, Ele lhes promete duas coisas.

Em primeiro lugar, promete cuidar do Seu rebanho (10.3b). *... mas o SENHOR dos Exércitos tomará a seu cuidado o rebanho, a casa de Judá...* O próprio Deus afasta os falsos pastores e passa a cuidar do Seu rebanho. O Senhor remove os líderes falsos, como removeu o rei Saul, e oferece verdadeiros líderes, como providenciou Davi para substituí-lo (1Sm 13.14; Sl 78.72). Phillips destaca que a Reforma Protestante foi um exemplo clássico dessa verdade. Deus proveu a igreja de novos líderes para tirar o povo da corrompida igreja medieval e voltar ao evangelho.[13]

Deus deixa claro o motivo de levantar novos líderes: *... o SENHOR dos Exércitos tomará a seu cuidado o rebanho, a casa de Judá...* A casa de Judá era o Seu rebanho assim como a igreja hoje é o Seu rebanho (At 20.28). Ele tem zelo pela igreja. A igreja é o Seu povo de propriedade exclusiva (1Pe 2.9).

O Senhor dos Exércitos é o pastor de Seu rebanho. O livro de Salmos, apontando para Jesus, diz que Ele é o bom pastor, que deu Sua vida pelas ovelhas (Sl 22), o grande pastor que vive pelas ovelhas (Sl 23) e o supremo pastor que voltará para Suas ovelhas (Sl 24). O Novo Testamento comprova essa verdade gloriosa, afirmando que Jesus é o bom pastor que deu a vida pelas ovelhas (Jo 10.11), o grande pastor que vive para as ovelhas (Hb 13.20) e o supremo pastor que voltará para Suas ovelhas (1Pe 5.4). Ele cuida de Seu rebanho. Suas ovelhas são Sua propriedade particular. Ele conduz Seu rebanho para o aprisco seguro. Ele conhece cada ovelha do Seu rebanho pelo nome. Ele protege Suas ovelhas, e nenhuma delas vem a perecer.

Em segundo lugar, promete fazer do Seu povo instrumento de vitória (10.3b). ... *e fará desta o seu cavalo de glória na batalha*. As ovelhas que estavam desgarradas, desviadas, sob a liderança de bodes-guias, são transformadas nos instrumentos da própria vitória de Deus sobre Seus inimigos. Baldwin diz que as pessoas que são como ovelhas em sua submissão ao Senhor serão invencíveis como cavalos de guerra a Seu serviço.[14]

O Pastor divino é o Salvador do Seu povo (10.4)

Zacarias traz a lume uma clara profecia messiânica, fazendo quatro declarações solenes sobre o Messias, que emerge da tribo de Judá, a tribo de Davi, de onde procedeu o Messias prometido. *De Judá sairá a pedra angular, dele a estaca da tenda, dele o arco de guerra, dele sairão todos os chefes juntos* (10.4). Feinberg diz que a pedra angular, o arco de guerra e a estaca da tenda são figuras do Messias que representam Suas qualidades de estabilidade, de responsabilidade e de força.[15]

Em primeiro lugar, o Messias é a pedra angular (10.4). *De Judá sairá a pedra angular...* Esta metáfora relembra o que dissera Isaías: *Eis que eu assentei em Sião uma pedra, pedra já provada, pedra preciosa, angular, solidamente assentada; aquele que crer não foge* (Is 28.16). O próprio Zacarias faz menção dessa pedra: *Porque eis aqui a pedra que pus diante de Josué; sobre esta pedra única estão sete olhos; eis que eu lavrarei a sua escultura, diz o Senhor dos Exércitos, e tirarei a iniquidade desta terra, num só dia* (3.9). Essa pedra, portanto, é uma clara descrição do Messias que haveria de vir. A pedra angular é uma metáfora que se aplica a Cristo no Novo Testamento. Ele é a pedra fundamental sobre a qual a igreja está edificada (Mt 16.18; At 4.11; 1Co 3.11; Ef 2.20,21; 1Pe 2.6).

Em segundo lugar, o Messias é a estaca da tenda (10.4b). *... dele a estaca da tenda...* Essa estaca fincada no chão tinha como propósito prender a tenda e mantê-la firme contra os vendavais. O profeta Isaías fez referência a essa estaca da tenda, onde os utensílios menores da casa eram dependurados (Is 22.23,24). A estaca da tenda é outra imagem que aponta para o Messias. Phillips diz corretamente que aqui está Aquele sobre quem podemos depositar toda as nossas cargas — a culpa pelo nosso pecado, nosso cuidado e nossas necessidades — e sobre quem podemos depositar seguramente nossas esperanças de glória.[16]

Em terceiro lugar, o Messias é o arco de guerra (10.4c). *... dele o arco de guerra, dele sairão todos os chefes juntos.* Essa metáfora aponta para a vitória no período dos macabeus, mas culmina no Messias, como Aquele que tem os instrumentos necessários para derrotar Seus inimigos e conduzir Seu povo em triunfo (1Co 15.25). William Greathouse corrobora essa ideia dizendo que esses grandes guerreiros e líderes surgiram de Judá durante o período dos macabeus. Contudo, a última referência pode ser ao *Leão da tribo de Judá* (Ap 5.5), por cujo poder grandioso o reino de Deus, no fim dos tempos, triunfará sobre todos os que lhe opuserem. *Porque convém que reine até que haja posto a todos os inimigos debaixo dos seus pés* (1Co 15.25).[17]

O Pastor divino faz Seu povo vitorioso na batalha (10.5)

Três verdades podem ser aqui destacadas:

Em primeiro lugar, Deus faz Seu povo triunfar sobre seus inimigos (10.5a). *E serão como valentes que, na batalha, pisam aos pés os seus inimigos na lama das ruas...* Zacarias descreve de forma clara a vitória do povo de Deus. Essa vitória veio no período dos macabeus. Mesmo o povo de

Deus sendo perseguido aqui e acolá, a vitória final está garantida (Rm 8.31-39). Enquanto cai a grande Babilônia, a Nova Jerusalém é apresentada em todo o seu esplendor como a noiva do Cordeiro (Ap 17.1; 18.2; 21.9-11).

Em segundo lugar, Deus se faz presente com Seu povo dando-lhe segurança (10.5b). *Pelejarão, porque o SENHOR está com eles...* A vitória do povo de Deus não decorre de sua força nem mesmo de suas estratégias, mas da presença de Deus em seu meio (Rm 8.31). A maior ameaça para o povo de Deus não é a presença do inimigo, mas a ausência de Deus. Se Deus está presente com o Seu povo, então Ele é como um muro de fogo ao seu redor (2.5), e os inimigos não prevalecerão.

Em terceiro lugar, Deus reverte as situações mais improváveis em favor do Seu povo (10.5c). *... e envergonharão os que andam montados em cavalos.* Mesmo que nossos inimigos usem todas as suas forças e exponham toda a sua força, a vitória é do povo de Deus, pois, enquanto uns confiam em carros e outros em cavalos, a nossa confiança está no Senhor, nosso Deus (Sl 20.6-9).

NOTAS

[1] PAPE, Dionísio. *Justiça e esperança para hoje*, p. 122.

[2] PHILLIPS, Richard D. *Zacarias*, p. 214.

[3] BALDWIN, J. G. *Ageu, Zacarias e Malaquias: introdução e comentário*, p. 141.

[4] FEINBERG, Charles L. *Os profetas menores*, p. 302.

[5] PHILLIPS, Richard D. *Zacarias*, p. 214.

[6] PHILLIPS, Richard D. *Zacarias*, p. 216.

[7] BALDWIN, J. G. *Ageu, Zacarias e Malaquias: introdução e comentário*, p. 142.

[8] PHILLIPS, Richard D. *Zacarias*, p. 218.

[9] Ibidem, p. 217.

[10] BALDWIN, J. G. *Ageu, Zacarias e Malaquias: introdução e comentário*, p. 142.

[11] PHILLIPS, Richard D. *Zacarias*, p. 218.

[12] Ibidem, p. 219.

[13] Ibidem.

[14] BALDWIN, J. G. *Ageu, Zacarias e Malaquias: introdução e comentário*, p. 144.

[15] FEINBERG, Charles L. *Os profetas menores*, p. 303.

[16] PHILLIPS, Richard D. *Zacarias*, p. 221.

[17] GREATHOUSE, William M. O livro de Zacarias. In: *Comentário bíblico Beacon*, p. 325.

Capítulo 16

Deus, o Salvador
do Seu povo
(Zc 10.6-12)

ZACARIAS APRESENTA DEUS não apenas como pastor do Seu povo, mas também como Seu libertador. É Deus quem congrega os dispersos de Israel (Sl 147.2). Essa passagem aponta para a redenção que temos em Cristo. As profecias do Antigo Testamento cumprem-se no Novo Testamento. O que era apenas um botão do Antigo Testamento é uma flor desabrochada no Novo Testamento. O que era apenas uma semente no Antigo Testamento é uma árvore frondosa no Novo Testamento.

Phillips esboça a passagem em tela como um segundo êxodo.[1] Quando Moisés e Elias apareceram em glória conversando com Jesus no monte da Transfiguração, falaram sobre sua partida para Jerusalém. A palavra "partida", no grego, é *exodus*, de onde vem a palavra "êxodo" (Lc 9.31). O primeiro êxodo tirou o povo da escravidão do Egito para a terra de Canaã; o segundo êxodo tirou-nos da casa do valente, da potestade de Satanás, do reino das trevas, para a liberdade dos filhos de Deus. O verdadeiro êxodo aconteceu na cruz. Foi na cruz que Jesus abriu as portas do nosso cativeiro. Foi ali que Ele nos tornou verdadeiramente livres.

Usaremos, nesta exposição, alguns lampejos do esboço oferecido por Richard Phillips.

A descrição da salvação (10.6a,7)

A salvação é representada pela libertação do povo da aliança de seu cativeiro. Trata-se de um segundo êxodo. Destacamos a seguir alguns pontos.

Em primeiro lugar, a salvação é descrita como uma ação transformadora de Deus (10.6). *Fortalecerei a casa de Judá, e salvarei a casa de José...* Judá e José representam os reinos do Sul e do Norte como um todo. Consequentemente, a casa de Judá é uma referência ao Reino do Sul que foi levado cativo pela Babilônia em 586 a.C., e a casa de José é uma referência ao Reino do Norte, que em 722 a.C. foi levado cativo pela Assíria. Deus não só fortalece e salva, mas também reúne o Seu povo, que até então vivia disperso e desunido. A escravidão das tribos de Israel representa a escravidão do pecado, e sua libertação do povo estrangeiro é um símbolo eloquente da redenção que temos em Cristo (At 26.18; Cl 1.13).

Em segundo lugar, a salvação é descrita como restauração (10.6b). *... e fá-los-ei voltar...* O Deus que chama Seu povo é o mesmo que o traz de volta. O Deus que chama é o que quebra as correntes e abre as portas do cativeiro. O Deus que chama o pecador ao arrependimento é o mesmo

Deus, o Salvador do Seu povo

que dá o arrependimento para a vida. O Deus que ordena o pecador a crer em Jesus, por Sua graça, concede a fé salvadora. Ele dá a ordem e também o poder para que a ordem se cumpra.

Em terceiro lugar, a salvação é descrita como a alegria do Senhor (10.7). A salvação é uma boa-nova de grande alegria. O reino de Deus é alegria. O fruto do Espírito é alegria. A ordem de Deus é *alegrai-vos*. Jesus veio para trazer vida em abundância. Aqueles que se voltam para o Senhor encontram nEle a fonte da verdadeira alegria, pois só em Sua presença há plenitude de alegria.

A causa da salvação (10.6b)

A causa da salvação é a graça compassiva de Deus. ... *porque me compadeço deles; e serão como se eu não os tivera rejeitado, porque eu sou o* Senhor, *seu Deus, e os ouvirei.*

Há aqui três pontos que devem ser destacados:

Em primeiro lugar, a salvação é resultado da graça divina, e não do mérito humano (10.6b). O povo de Judá não foi liberto da escravidão por seu mérito ou esforço, mas pela ação graciosa de Deus. Foi a compaixão de Deus, e não as credenciais do povo, que trouxe a eles a libertação de seus inimigos. É assim a salvação. Não é conquistada pelas obras; é resultado da graça (Ef 2.8,9).

Em segundo lugar, a justificação é o cancelamento completo da dívida e a restituição completa do favor. Deus promete ao povo da aliança que eles serão como se Ele nunca os tivesse rejeitado. É assim a justificação. Somos declarados justos como se nunca tivéssemos pecado. Além de não termos mais débito, temos um crédito infinito depositado em nossa conta, a justiça de Cristo.

Em terceiro lugar, a eleição divina é soberana e incondicional, e não baseada no merecimento humano (10.6c). Deus fortalece, salva, restaura, se compadece e justifica o Seu povo fundamentado em Sua escolha livre e soberana: ... *porque eu sou o Senhor, seu Deus, e os ouvirei.* Deus nos escolheu não por quem nós somos, mas por quem Ele é; não baseado em nossas obras, mas em Sua graça. Escolheu-nos não por nossos méritos, mas apesar dos nossos deméritos.

O método da salvação (10.8,9)

Zacarias descreve Deus como um pastor que reúne Seu povo que estava espalhado. Destacamos aqui alguns pontos.

Em primeiro lugar, o chamado divino é irresistível (10.8a). *Eu lhes assobiarei e os ajuntarei...* Assim como um pastor assobia para chamar a ovelha, também o Senhor chama os que são Seus. As ovelhas de Cristo ouvem a Sua voz e O seguem. Ele chama e o faz eficazmente. Ele convida os aflitos e sobrecarregados a irem a Ele. Oferece água ao sedento, pão ao faminto, descanso ao cansado, e vida eterna aos mortos em delitos e pecados.

Em segundo lugar, a redenção divina é eficaz (10.8b). *... porque os tenho remido...* O Deus que chama é o mesmo que redime. A redenção não é mediante coisas corruptíveis, mas pelo precioso sangue de Seu Filho (At 20.28; 1Pe 1.18,19; Rm 3.24-26).

Em terceiro lugar, a restauração é completa (10.8c). *... multiplicar-se-ão como antes se tinham multiplicado.* O povo de Deus não apenas foi arrancado de uma terra de servidão, mas também se multiplicará, em cumprimento à promessa feita a Abraão (Gn 12.1-3; 15.5). O livro de Apocalipse fala sobre o povo de Deus como uma multidão incontável (Ap 7.9).

Deus, o Salvador do Seu povo

Em quarto lugar, a dispersão do povo de Deus é uma semeadura (10.9). _Ainda que os espalhei por entre os povos, eles se lembram de mim em lugares remotos; viverão com seus filhos e voltarão._ Baldwin diz que Este é o pastor que sabe onde estão Suas ovelhas porque foi Ele quem as espalhou e quem as chama de volta com o Seu assobio.[2] Richard Phillips diz que há um aparente jogo de palavras aqui, relacionado ao termo hebraico _zera_, que significa tanto espalhar quanto plantar. Com o mesmo movimento que se espalham, podem-se lançar sementes em um campo. Esse jogo de palavras pode estar sendo usado aqui, de modo que, mesmo quando Deus espalhava, Ele estava, pela graça, plantando Seu povo a fim de produzir fruto em dia vindouro. Mesmo quando os espalhava, Deus disse: _Eu os plantei entre as nações._[3] Para a semente brotar e produzir, ela precisa ser plantada e morrer (Jo 12.24). Primeiro, ela passa pela escuridão da cova e pela experiência da solidão. Então, ela brota, floresce e frutifica a trinta, a sessenta e a cem por um.

F. B. Meyer diz que, ao fim dos setenta anos de cativeiro, o povo escolhido por Deus desde a Antiguidade foi distribuído pela Pártia, Média, Pérsia, Mesopotâmia, Capadócia, Ponto, Frígia, Panfília, Egito, Líbia, Roma, Creta e Arábia. Por toda parte do grande Império Romano, muitos caíram em terra para morrer. No que se refere à sua vida natural, pareciam ter sido eliminados dentre as nações do mundo, mas o efeito é o mesmo que a destruição da semente que o agricultor lança nos campos. Eles foram semeados e frutificaram. Construíram suas sinagogas, prosperaram nas partes das grandes cidades que lhes foram designadas e disseminaram novos conceitos acerca de Deus, altos níveis éticos e linguagem religiosa diferente, destinada a ser de utilidade incalculável aos primeiros pregadores do evangelho de Cristo.[4]

Pela mão brutal do perseguidor, o trigo rico do Pente_costes, que havia ficado tempo longo demais no depósito da igreja-mãe, foi espalhado pelas regiões da Judeia e Samaria: *Entrementes, os que foram dispersos iam por toda parte pregando a palavra* (At 8.4). Lucas ainda registra: *Então, os que foram dispersos por causa da tribulação que sobreveio a Estêvão se espalharam até à Fenícia, Chipre e Antioquia...* (At 11.19).

O apóstolo Pedro endereçou sua primeira carta aos forasteiros da dispersão (1Pe 1.1,2). Aqueles que foram espalhados, como uma semeadura bendita, produziram muitos frutos. O apóstolo Paulo, em suas viagens missionárias, usou as sinagogas como ponte de contato para pregar o evangelho da graça a judeus e gentios. Mesmo em meio ao paganismo mais tosco, havia judeus e prosélitos tementes a Deus estudando a lei, fruto dessa semeadura divina.

Essa semeadura divina continuou ao longo da história. O próprio Jesus diz que o Pai é o Agricultor (Jo 15.1). Ele espalha Suas sementes. Durante as duras e amargas perseguições promovidas por Nero, Domiciano, Septímio Severo, Décio e Diocleciano, muitos cristãos foram semeados nos anfiteatros da morte, nas catacumbas de Roma; porém, quanto mais sangue era derramado, mas a igreja florescia. Mesmo nos tempos mais sombrios, essa semeadura com lágrimas produziu abundantes molhos. F. B. Meyer diz que havia uma qualidade magnífica no grão dos valdenses, dos paulicianos, dos hussitas, dos lolardos, que foi semeado pelo Agricultor nos calabouços da Inquisição, em zombaria e espancamento, em cativeiro e aprisionamento, em fogueiras e correntes de rios estrepitosos. Houve,

Deus, o Salvador do Seu povo

outrossim, a colheita da Reforma na Alemanha, dos hugue-notes na França e dos puritanos na Inglaterra.[5]

O modelo da salvação (10.10-12)

Destacamos a seguir três pontos importantes.

Em primeiro lugar, a salvação é tipificada pela restauração plena do povo de Deus (10.10). *Porque eu os farei voltar da terra do Egito e os congregarei da Assíria; trá-los-ei à terra de Gileade e do Líbano, e não se achará lugar para eles.* Esse êxodo é visto como um paradigma da obra salvífica de Jesus Cristo, diz Phillips.[6] É importante ressaltar que a menção do Egito e da Assíria se refere às potências que haviam escravizado o povo de Israel no passado, mas não constituíam perigo nos dias de Zacarias. Por isso, metaforicamente, representam a escravidão ao pecado, de onde o povo de Deus é salvo.[7]

Em segundo lugar, a salvação é tipificada pelo triunfo pleno sobre os inimigos (10.11). *Passarão o mar de angústia, as ondas do mar serão feridas, e todas as profundezas do Nilo se secarão; então, será derribada a soberba da Assíria, e o cetro do Egito se retirará.* O povo de Israel passou pelo mar Vermelho a pé enxuto, depois de enfrentar a angústia de estar encurralado pelas montanhas e ser acossado pelos soldados do faraó. Deus feriu as ondas, abriu o mar e libertou o Seu povo, fazendo-o triunfar sobre seus opressores. Deus remove os obstáculos do caminho do Seu povo. Assim como a libertação desse cativeiro aconteceu na noite em que a Páscoa foi inaugurada, o nosso verdadeiro êxodo aconteceu também no contexto da transição da Páscoa para a ceia do Senhor, quando Jesus inaugurou em Seu sangue a nova aliança.

Em terceiro lugar, a salvação é tipificada pela plena comunhão com Deus (10.12). *Eu os fortalecerei no SENHOR, e andarão no seu nome, diz o Senhor.* Phillips tem toda a razão ao dizer que o motivo de salvação do êxodo nos aponta para o Deus do êxodo e concentra toda a nossa esperança nEle. O que importa não é a dificuldade da jornada, os perigos do caminho ou mesmo a nossa própria fraqueza. O que importa é o Deus que nos conduz: *Eu os fortalecerei no Senhor, e andarão no seu nome, diz o Senhor.* Jesus disse que Ele é o Pão da vida (Jo 6.35), o Pão vivo que desceu do céu (Jo 6.51). Ele oferece água viva (Jo 7.37,38). O Senhor fortalece o Seu povo, e o Seu povo anda em Sua presença. É assim que funciona a salvação: aqueles que são chamados e fortalecidos andarão no nome e na força do Senhor.[8]

Notas

[1] Phillips, Richard D. *Zacarias*, p. 225.

[2] Baldwin, *J. G. Ageu, Zacarias e Malaquias: introdução e comentário*, p. 146.

[3] Phillips, Richard D. *Zacarias*, p. 230-231.

[4] Meyer, F. B. *Zacarias: o profeta da esperança*, p. 73.

[5] Ibidem, p. 74.

[6] Phillips, Richard D. *Zacarias*, p. 233.

[7] Ibidem.

[8] Ibidem, p. 235.

Capítulo 17

O Pastor de Israel
(Zc 11.1-17)

QUANDO ZACARIAS ESCREVEU essa profecia, os dois líderes do povo pós-exílico, Zorobabel e Josué, já estavam mortos. Os sacerdotes e os governantes que os sucederam entregaram-se às mais violentas paixões. Faziam lembrar um fogo devorando os cedros do Líbano ou os machados derrubando os carvalhos de Basã. O povo tornou-se vítima da ganância insaciável de seus líderes.[1] Então, Deus chamou Zacarias para posicionar-se firmemente contra esses líderes ímpios que haviam assumido o controle de Jerusalém. Essa postura de confronto já havia sido tomada por outros profetas predecessores, mas sempre sob grandes ameaças. O povo rebelde sempre reagiu com hostilidade e perseguição a esses pregoeiros da justiça, conforme acentuou Jesus: *Jerusalém, Jerusalém, que matas os profetas e apedrejas os que te foram enviados* (Mt 23.37). Não foi diferente com Zacarias. O próprio Senhor nos informa que Zacarias foi [morto] *entre o santuário e o altar* (Mt 23.35).

Zacarias, nesse capítulo, fala sobre três tipos de pastores: os pastores uivantes (11.3), o bom pastor (11.4-14) e o pastor inútil (11.15-17). A palavra "pastor" nesse contexto tem a ver com os líderes políticos e espirituais da nação. Os governantes são chamados de pastores do seu povo. Corroborando esse pensamento, Warren Wiersbe diz que, no Oriente, os líderes e governantes eram chamados de "pastores", pois protegiam o povo, conduzindo-o e suprindo suas necessidades (Jr 25.34).[2] Quando, porém, aqueles que governam o povo cingem-se da soberba como um manto, então o povo geme. Quando as nações mais poderosas da terra beijarem o chão, caídas como que por um vendaval ou pela violência do machado do juízo divino, então as nações menores precisarão colocar suas barbas de molho.

Vamos agora falar sobre os pastores que, outrora soberbos, agora arruinados, uivam assolados por acachapantes derrotas.

Os pastores soberbos (11.1-3)

Zacarias começa com um lamento poético. Esses três primeiros versículos dão uma clara impressão do que estava por vir. São um prenúncio de juízo e destruição.[3]

Destacamos aqui dois fatos solenes.

Em primeiro lugar, as nações mais poderosas cairão (11.1,2). Essa é uma figura de devastação vinda do Norte, e o versículo 3 mostra que os destinatários desse lamento são os falsos pastores, cuja capacidade de explorar o povo será extinta.[4] William Greathouse diz que o flagelo devastador, procedente do Norte, arruína o orgulho do Líbano e Basã. Em seguida, devasta em direção ao Sul até chegar ao vale do Jordão, estabelecendo-se sobre os pastores de Israel.[5]

O cedro, como o rei das árvores, às vezes representa o orgulho (Is 2.13), que podia ser reduzido a nada com alguns golpes de machado (Is 10.33,34). Era um símbolo muito bem escolhido para potências estrangeiras que tinham a arrogância de dizer-se independentes de Deus (Ez 31), e os reis do Egito e da Assíria se enquadravam nessa categoria. As florestas mais baixas de ciprestes e os carvalhos têm motivo para lamentar se os cedros já caíram.

Baldwin pensa que a metáfora usada por Zacarias não tinha o propósito de mencionar alguma nação ou reino específico, mas representava nações grandes e pequenas.[6] Concordo com Phillips, porém, quando ele diz que essa terrível invasão vinda do Norte corresponde a uma conquista aterrorizadora que deixou a terra desolada.[7]

Em segundo lugar, a nação de Israel não escapará (11.3). O profeta Zacarias prediz a destruição de Jerusalém feita pelos exércitos romanos.[8] É como disse Feinberg: "Se as nações mais poderosas não são poupadas, as mais frágeis não podem escapar".[9] Concordo com Baldwin quando ele observa certa ironia nesse lamento de árvores, pastores e filhos de leões por causa da devastação que os afeta. Diz o texto que eles saíram da *soberba do Jordão*, densa confusão de tamargueiras e outros arbustos que se estendem dos dois lados do rio sinuoso e cobrem a área que as águas da cheia inundam quando as neves do Hermom derretem na primavera.[10]

Essas figuras apontavam não apenas para os dias do profeta Zacarias, mas também para o tempo em que Jesus veio para os Seus e os Seus não O receberam (Jo 1.11). Em virtude da rejeição de Jesus pelos judeus, Deus os rejeitou. A consequência inevitável foi a destruição de Jerusalém e a dispersão do povo judeu, para a maior diáspora de todos os tempos, ou seja, desde o ano 70 d.C. até 14 de maio de 1948, quando alguns remanescentes de Israel voltaram ao seu território. Esse fato ocorreu na geração posterior à rejeição de Jesus pelos judeus, em consequência de Deus rejeitá-los.

No ano 66 d.C., rebeldes judeus foram bem-sucedidos em expulsar as guarnições romanas de Jerusalém; por isso, como resposta, o general romano Tito Vespasiano a invadiu com suas legiões, no ano 70 d.C., atravessando as terras do Norte mencionadas nessa passagem. Portanto, o que Zacarias mostrou, quebrando as duas varas, se tornou tragicamente real. A mão protetora de Deus foi retirada depois da rejeição de Jesus, e, sem a presença de Deus, a unidade da nação se dissolveu em tempo de conflito civil e caos nacional.[11]

Fica a lição: ninguém pode zombar da graça de Deus e permanecer impenitente, sem colher os frutos amargos dessa semeadura insensata. Receber Cristo é fazer opção pela vida; rejeitá-Lo é escolher a morte (Mt 21.41).

O bom pastor nomeado (11.4-7)

Zacarias passa a figurar a posição do bom pastor, ordenado a apascentar as ovelhas que estavam sendo destinadas para a morte. Os líderes judeus não estavam preocupados com as ovelhas. Sua única preocupação era com sua própria posição e poder. Se os líderes maus são a causa da ruína do seu povo, um líder íntegro e reto tem como missão cuidar do povo. Porém, um governante comprometido com o bem do povo, que promove mudanças para restabelecer a justiça e promover a harmonia, em vez de ser aceito e respeitado, é odiado e rejeitado por esse mesmo povo.

Phillips diz que Deus ordenou a Zacarias encenar uma situação a fim de publicamente transmitir uma mensagem ao povo de Jerusalém. Provavelmente, a mais famosa encenação profética foi realizada por Oseias, a quem Deus mandou casar-se com uma prostituta para demonstrar o que significa para Deus viver em aliança com Israel. Outros profetas receberam instruções semelhantes, incluindo Isaías, a quem Deus ordenou andar nu e descalço durante três anos para representar o juízo, e Ezequiel, que se deitou de lado durante um ano, representando o pecado de Israel e o cerco de Jerusalém. No versículo 4, Zacarias é instruído a encenar um desses atos simbólicos. Deus diz: *Apascenta as ovelhas destinadas para a matança.*[12]

Vamos observar quatro verdades solenes aqui.

Em primeiro lugar, ovelhas destinadas à morte (11.4). Baldwin diz que essas ovelhas estão sendo criadas para o abate e em breve serão vendidas no mercado, de onde seguirão para o matadouro. Só que as ovelhas são homens e mulheres. Os mesmos que as alimentam ajudam a encher os bolsos dos comerciantes, pois conseguem um preço melhor pelas ovelhas mais robustas. Esses líderes usam as ovelhas em vez de apascentá-las (Mq 3.1-3). Tiram lucro das ovelhas em vez dar a vida por elas. Eles engordam as ovelhas para o corte.[13] Phillips explica que os dirigentes de Jerusalém buscavam gratificação pessoal e imediata; eles simplesmente matavam o rebanho. O povo da terra estava sendo manipulado pelos líderes, que o exploravam para proveito próprio.[14]

Em segundo lugar, ovelhas exploradas (11.5). Parece haver duas classes de pessoas explorando o povo, os comerciantes e os líderes políticos. O cenário é de um mercado de ovelhas. Ali encontramos compradores que matavam as ovelhas adquiridas e vendedores que se alegravam com o lucro.[15] Ah, como é triste quando um líder político ou religioso explora o povo em vez de servi-lo! Como é danosa a liderança que busca seu enriquecimento pessoal, enquanto seus liderados são explorados e esfolados. Muitos líderes políticos ainda hoje envolvem-se em esquemas de corrupção para surrupiarem o erário público, aumentando suas riquezas enquanto o povo amarga uma injusta e perversa pobreza. Muitos pastores, de igual forma, fazem da igreja uma empresa particular, do púlpito um balcão, do templo uma praça de negócios, dos crentes massa de manobra, para se locupletarem. A ordem de Deus é que os pastores devem atender por todo o rebanho e pastorear a igreja de Deus (At 20.28). Pedro exorta os líderes a pastorearem o rebanho de Deus não com sórdida ganância, mas de boa vontade (1Pe 5.2,3).

O contexto histórico de Zacarias leva-nos também a entender que aqueles que compram as ovelhas são potências de ocupação, que esperam tirar proveito financeiro dos seus cativos. Os que as vendem são seus pastores, líderes judeus, que passaram a colaborar com as autoridades para proveito próprio, sem se importar com o sofrimento que causavam. Sabemos que o suborno tinha corrompido as cortes judiciais durante séculos (Am 2.6; Mq 7.3). Esses mercadores de ovelhas, ao auferirem lucro com o comércio delas, ainda exultavam, dizendo: *Louvado seja o Senhor, porque me tornei rico*. Essa é a perversa espiritualidade de muitos líderes que exploram o povo em nome de Deus, vivendo na riqueza e no luxo, enquanto os fiéis amargam extrema pobreza. Essa liderança avarenta será completamente desamparada ao enfrentar o reto julgamento de Deus (11.17).

Baldwin diz que isso não passa de amarga ironia. Essa triste realidade aponta para o fato de que riquezas nem sempre são uma prova do favor de Deus (Mc 10.23), sobretudo quando obtidas por meios fraudulentos.[16] Quando o homem coloca a riqueza no lugar de Deus, violando Seus preceitos e massacrando pessoas, então essa riqueza se torna Mamom (Mt 6.24), idolatria (Cl 3.5), o combustível de sua própria destruição (Tg 5.3).

Em terceiro lugar, o juízo de Deus sobre a nação (11.6). A religião de mercado, que busca o lucro em vez da glória de Deus, o enriquecimento de seus pastores em vez do cuidado do rebanho, provoca o profundo desgosto divino. Como resultado, vem o juízo de Deus sobre a nação. Tanto o cativeiro babilônico em 586 a.C. como a tomada de Jerusalém no ano 70 d.C. retratam essa amarga realidade.

Em quarto lugar, ovelhas apascentadas com duas varas (11.7). As duas varas, Graça e União, indicam os princípios sobre os quais se baseia a liderança do bom pastor. Feinberg diz que a primeira vara, "Graça", indicava a proibição de Deus pela qual as nações não podiam destruir a nação de Israel, ao passo que a segunda vara, "União", fazia referência aos laços fraternais dentro da própria nação.[17] A "Graça" significa a bênção de Deus sobre o povo, e a "União" significa a união nacional e a paz entre o Reino do Norte e o do Sul. Vale destacar que a Graça é a causa, e a União é a consequência. Onde há graça, existe união; onde a união acaba, é porque a graça já foi embora.

O bom pastor rejeitado (11.8-11)

Três verdades solenes devem ser aqui destacadas:

Em primeiro lugar, ovelhas rebeldes não querem ser pastoreadas (11.8). *Dei cabo dos três pastores num mês. Então, perdi a paciência com as ovelhas, e também elas estavam cansadas de mim.* Esses três pastores depostos constituem uma das afirmações mais enigmáticas de todo o Antigo Testamento. Prova disso é que existem pelo menos quarenta diferentes interpretações para esses três pastores. Phillips diz que esses três pastores depostos provavelmente fossem chefes de grupos adversários.[18] F. B. Meyer, por sua vez, acredita que esses três pastores, representando o ofício tríplice de Sacerdote, Profeta e Rei, já haviam falhado na difícil tarefa de restaurar a ordem àquela terra perturbada e aflita.[19] Concordo com Baldwin quando ele diz que, em face de uma diversidade de opiniões tão grande, é impossível saber com certeza a identidade desses três pastores.[20]

Apesar de todo o cuidado com o rebanho, os serviços prestados pelo bom pastor não foram considerados. Em vez de Zacarias ter uma onda de aprovação pública de seu pastoreio, ele foi execrado pelas ovelhas. As ovelhas, em vez de sentirem-se felizes por serem apascentadas pelo bom pastor, ficaram cansadas dele, o que levou o bom pastor a perder a paciência com elas. O povo desgostou-se do melhor dos pastores. Eles davam mais valor aos falsos pastores, ou seja, àqueles que os exploravam (2Co 11.4,20). Phillips diz, com razão, que, além de os falsos pastores não suportarem Zacarias, o rebanho também o detestava. O povo não queria um regime fiel, apesar dos benefícios que teria. O povo preferia os líderes ímpios aos fiéis. O povo não queria padrões de fidelidade, porque não queria abandonar seus próprios pecados de estimação.[21]

Em segundo lugar, ovelhas rebeldes são entregues à própria sorte (11.9). *Então, disse eu: não vos apascentarei; o que quer morrer, morra, o que quer ser destruído, seja, e os que restarem, coma cada um a carne do seu próximo.* A contumácia do povo em se afastar de Deus e recusar o seu pastoreio (Os 11.7) culminou na rejeição de Deus a esse povo. Phillips defende a ideia de que o povo se sentiu aliviado ao ver o profeta Zacarias ir embora. Porém, as consequências da rejeição foram amargas.[22] Deixando de liderar, o pastor entregou as pessoas às consequências de sua rejeição: morte e destruição mútua. Ele simplesmente deixou as coisas tomarem seu curso normal.[23] Não existe nada mais perigoso para o homem do que Deus entregá-lo a si mesmo, para receber aquilo que ele deseja (Rm 1.18-32). Quando Deus tirar o pé do freio e suspender Sua graça restringente, os pecadores rumarão céleres para um abismo de trevas eternas.

Em terceiro lugar, ovelhas rebeldes são entregues ao poder das nações (11.10,11). *Tomei a vara chamada Graça e a quebrei, para anular a minha aliança, que eu fizera com todos os povos. Foi, pois, anulada naquele dia; e as pobres do rebanho, que fizeram caso de mim, reconheceram que isso era palavra do Senhor.* Quando o profeta quebrou a vara "Graça", isso significou que, sem a obrigação de um relacionamento com Deus, o povo não poderia desfrutar dos resultados da graça. Portanto, a restrição imposta por Deus sobre as nações seria agora removida para que elas pudessem atacar livremente os israelitas. Em outras palavras, Deus havia mantido as nações encurraladas, mas agora essa restrição deixaria de existir.[24] Feinberg lança luz sobre o assunto quando escreve:

> Zacarias, ao falar das nações da terra, revela uma importante verdade: Deus fez uma aliança com todos os povos a respeito de seu próprio povo. Ele os colocou sob restrição para que não causassem dano a Israel. Removida a restrição, os romanos lhes destruíram a cidade

e a economia. Nem Alexandre, nem Antíoco Epifânio, nem Pompeu tiveram permissão de frustrar-lhes a existência nacional, mas, quando o Messias quebrou a sua vara, nem Tito nem seus generais puderam poupar o Templo, nem pôde Juliano, o apóstata, mais tarde restaurá-lo.[25]

O bom pastor se demite (11.12-14)

Depois de demitir-se (11.9), Zacarias desafiou o povo a avaliar seus serviços, dando-lhe seu salário em moedas de prata (11.12). Vamos destacar aqui três lições.

Em primeiro lugar, o bom pastor é desmerecido por um salário indigno (11.12). *Eu lhes disse: se vos parece bem, dai- -me o meu salário; e, se não, deixa-o. Pesaram, pois, por meu salário trinta moedas de prata.* Trinta moedas de prata eram a quantidade prescrita para pagamento de um escravo que tinha sido ferido por uma chifrada (Êx 21.32). Essas trinta moedas representavam, portanto, o salário de um escravo ferido — o salário mais desprezível que alguém podia receber.[26] O profeta chamou o seu salário, sarcasticamente, de *magnífico preço* (11.13). F. B. Meyer diz que isso era o mesmo que dizer: *Teus serviços são tão imprestáveis para a comunidade quanto os de algum obscuro servo empregado no mais humilde serviço.*[27]

Em segundo lugar, o bom pastor rejeita o salário que lhe é dado (11.13). *Então, o SENHOR me disse: Arroja isso ao oleiro, esse magnífico preço em que fui avaliado por eles. Tomei as trinta moedas de prata e as arrojei ao oleiro, na Casa do SENHOR.* Deus ordena que Zacarias arroje ao oleiro, na Casa do Senhor, esse salário indigno. William Greathouse acentua que o fato de a prata ter sido lançada na Casa do Senhor significa que foi ao próprio Deus que eles pagaram a soma miserável.[28] De acordo com Phillips, isso mostra que Zacarias rejeitou o pagamento, pois não queria contribuir com os corruptos líderes religiosos. Consequentemente, esse é um retrato vívido do desprezo do mundo pela verdadeira religião, assim como da rejeição de Deus a essa arrogante oferta.[29]

Essa passagem tem um claro teor profético (Mt 27.1-10). Esse pastor rejeitado apontava para Jesus, o Filho de Deus (Mt 27.9,10). Ele também foi avaliado pelos líderes de Israel em trinta moedas de prata, pagas a Judas Iscariotes pela traição. Quando Judas jogou de volta as moedas para os principais sacerdotes, eles cumpriram o que fora escrito por Zacarias, usando as moedas para comprar o campo do oleiro.

É importante destacar que Israel teve poucos líderes que cuidaram do povo com zelo. Porém, quando veio o maior Pastor de todos, pronto para dar sua vida por Suas ovelhas, Ele foi menosprezado, rejeitado e vendido pelo preço de um escravo e pregado na cruz (Mt 26.15).

Vale a pena considerar aqui o que escreveu Warren Wiersbe:

> É evidente que as palavras de Zacarias não são perfeitamente paralelas aos acontecimentos descritos em Mateus 27.1-10. Em Zacarias, o dinheiro foi dado ao profeta, enquanto em Mateus foi entregue a Judas, o traidor. O profeta deu o dinheiro para o oleiro do templo, mas Judas deu seu pagamento aos sacerdotes que, depois, compraram o campo do oleiro. O texto de Mateus 27.9 diz que esta profecia é de Jeremias. O que Mateus fez foi combinar em um só todos os elementos tanto de Jeremias (Jr 19) quanto de Zacarias (11), mas, uma vez que Zacarias era um profeta menor, o apóstolo citou apenas o nome de Jeremias, o profeta maior.[30]

Está meridianamente claro que o ato simbólico de Zacarias é conectado com a experiência real de Jesus Cristo.[31] O Filho de Deus desceu da glória, fez-se carne, andou por toda parte fazendo o bem e libertando os oprimidos do diabo. Os cegos viram, os surdos ouviram, os mudos falaram, os coxos andaram, os leprosos foram purificados, os mortos ressuscitaram. Ele curou os de coração quebrantado e perdoou os arrependidos. Porém, mesmo tendo vindo para os Seus, os Seus não O receberam (Jo 1.11). Ele foi acusado de ser beberrão e estar endemoninhado; foi acusado de blasfêmia contra Deus e conspiração contra César. Foi preso, esbordoado, cuspido, vendido, acusado, condenado, crucificado, sepultado. Jesus não foi surpreendido por essas reações hostis. De antemão, Ele já sabia de todas essas coisas. Sabia que seria rejeitado e morto. Falou várias vezes para os discípulos o que lhe ocorreria em Jerusalém. Jesus, porém, lamentou sobre a cidade da paz: *Jerusalém, Jerusalém, que matas os profetas e apedrejas os que te foram enviados! Quantas vezes quis eu reunir os teus filhos, como a galinha ajunta os seus pintinhos debaixo das asas, e vós não o quisestes! Eis que a vossa casa ficará deserta* (Mt 23.37,38).

Corroborando esse pensamento, Dionísio Pape diz, com razão, que, quando Jesus Cristo veio ao mundo, Ele foi odiado por Sua incorruptibilidade transparente e Sua ferrenha oposição à hipocrisia e corrupção dos líderes em Israel. Ele foi traído e vendido conforme essa profecia de Zacarias (11.13).[32]

Em terceiro lugar, o bom pastor entrega as ovelhas à desintegração (11.14). *Então, quebrei a segunda vara, chamada União, para romper a irmandade entre Judá e Israel.* Zacarias está demonstrando, ao quebrar a vara "União", que a integridade do povo como nação seria perdida, porque eles desprezaram Deus, que foi e é a única fonte de verdadeira unidade de qualquer povo.[33]

Depois que Jesus acusou Jerusalém de matar os profetas e apedrejar os que lhe foram enviados (Mt 23.37,38), Ele saiu do templo (Mt 24.1). Como o ato simbólico de Zacarias previu, a paciência de Deus chegou ao fim. O Senhor da glória deixou o templo de Jerusalém. Deixou também aqueles que preferiram os falsos pastores. Eles foram deixados para trás para receber a devida condenação por seus pecados, a condenação de rejeitarem o Salvador que Deus graciosamente lhes enviara.

A mensagem de Zacarias é assaz oportuna para a nossa geração. Hoje vemos muitas denominações evangélicas afastando-se do Senhor e das Escrituras, seja pelo liberalismo teológico, seja pelo sincretismo religioso, seja até mesmo por uma ortodoxia morta. Se não houver arrependimento e retorno ao Senhor e à Sua Palavra, essas denominações se tornarão fracas, anêmicas, irrelevantes, corrompidas e mortas.

De igual modo, vemos, estarrecidos, que nações que cresceram e se tornaram gigantes, em virtude de terem sido edificadas sobre a base da cultura judaico-cristã, têm abandonado os preceitos da Palavra de Deus, virando as costas às suas origens e mergulhando num perigoso relativismo religioso e moral.

O pastor inútil suscitado (11.15-17)

Nos versículos 15 e 16, Deus envia Zacarias de volta ao povo para representar o pastor imprestável que eles escolheram em seu lugar. Esse pastor é inútil porque não cuida das ovelhas.

Destacamos aqui três fatos:

Em primeiro lugar, o pastor inútil é suscitado por Deus (11.15,16a). *O Senhor me disse: Toma ainda os petrechos de um pastor insensato, porque eis que suscitarei um pastor na terra, o qual não cuidará das que estão perecendo...* Cinco séculos se passaram desde que Zacarias entregou essa profecia, e o Senhor fez um último esforço para recuperar Suas ovelhas desgarradas, que estavam aflitas e exaustas como ovelhas que não têm pastor (Mt 9.36).[34] William Greathouse entende que esse pastor imprestável já é uma descrição direta do opressor romano que destruiu o Estado judaico e molestou impiedosamente os judeus após terem rejeitado Cristo.[35] Sempre que Deus dá aos pecadores exatamente o que eles querem, isso é um juízo muito severo. As pessoas querem uma vida de pecado, um estilo de vida permissivamente degradante, e Deus as julga, permitindo que elas mergulhem fundo nesse estilo de vida, cujo salário é a morte (Rm 1.24-28).[36]

Em segundo lugar, o pastor inútil não cuida das ovelhas (11.16b). *... não buscará a desgarrada, não curará a que foi ferida, nem apascentará a sã; mas comerá a carne das gordas e lhes arrancará até as unhas.* O pastor inútil não procura as ovelhas perdidas, não cuida dos cordeiros tenros, não alimenta o rebanho, nem mesmo cura suas feridas. A única coisa que sabe fazer é abater as ovelhas para se alimentar (Ez 34) e comerciar as ovelhas para enriquecer. O pastor inútil vive das ovelhas, e não para as ovelhas. Ele se serve das ovelhas em vez de servi-las. Ele mata as ovelhas em vez de dar sua vida por elas.

Em terceiro lugar, o pastor inútil recebe o severo juízo de Deus (11.17). *Ai do pastor inútil, que abandona o rebanho! A espada lhe cairá sobre o braço e sobre o olho direito; o braço, completamente, se lhe secará, e o olho direito, de todo, se escurecerá.* O Senhor julgará esse falso pastor ao quebrar seu poder (seu braço direito) e ao confundir sua mente (seu olho direito).[37] Aqueles que hoje toleram os falsos pastores darão amanhã boas-vindas ao anticristo e se submeterão a ele (Ap 13.8). Porém, quando o Supremo Pastor voltar em glória, trazendo o galardão aos pastores fiéis (1Pe 5.4), Ele matará o anticristo, o falso pastor, com o sopro de Sua boca (2Ts 2.8).

Notas

[1] Meyer, F. B. *Zacarias: o profeta da esperança*, p. 79.

[2] Wiersbe, Warren W. *Comentário bíblico expositivo*. Vol. 4, p. 580

[3] Phillips, Richard D. *Zacarias*, p. 237.

[4] Ibidem.

[5] Greathouse, William M. O livro de Zacarias. In: *Comentário bíblico Beacon*, p. 326.

[6] Baldwin, J. G. *Ageu, Zacarias e Malaquias: introdução e comentário*, p. 147-148.

[7] Phillips, Richard D. *Zacarias*, p. 244.

[8] Wiersbe, Warren W. *Comentário bíblico expositivo*. Vol. 4, p. 581.

[9] Feinberg, Charles L. *Os profetas menores*, p. 308.

[10] Baldwin, J. G. *Ageu, Zacarias e Malaquias: introdução e comentário*, p. 148.

[11] Phillips, Richard D. *Zacarias*, p. 244.

[12] Ibidem, p. 239.

[13] Baldwin, J. G. *Ageu, Zacarias e Malaquias: introdução e comentário*, p. 149.

[14] Phillips, Richard D. *Zacarias*, p. 237.

[15] Ibidem.

Zacarias — O Apocalipse do Antigo Testamento

16 Baldwin, J. G. *Ageu, Zacarias e Malaquias: introdução e comentário*, p. 150.

17 Feinberg, Charles L. *Os profetas menores*, p. 309.

18 Phillips, Richard D. *Zacarias*, p. 240.

19 Meyer, F. B. *Zacarias: o profeta da esperança*, p. 80.

20 Baldwin, J. G. *Ageu, Zacarias e Malaquias: introdução e comentário*, p. 150-153.

21 Phillips, Richard D. *Zacarias*, p. 240.

22 Ibidem, p. 241.

23 Baldwin, J. G. *Ageu, Zacarias e Malaquias: introdução e comentário*, p. 154.

24 Phillips, Richard D. *Zacarias*, p. 241.

25 Feinberg, Charles L. *Os profetas menores*, p. 310.

26 Phillips, Richard D. *Zacarias*, p. 242.

27 Meyer, F. B. *Zacarias: o profeta da esperança*, p. 81.

28 Greathouse, William M. O livro de Zacarias. In: *Comentário bíblico Beacon*, p. 327.

29 Phillips, Richard D. *Zacarias*, p. 243.

30 Wiersbe, Warren W. *Comentário bíblico expositivo*. Vol. 4, p. 581.

31 Phillips, Richard D. *Zacarias*, p. 243.

32 Pape, Dionísio. *Justiça e esperança para hoje*, p. 122-123.

33 Phillips, Richard D. *Zacarias*, p. 241.

34 Meyer, F. B. *Zacarias: o profeta da esperança*, p. 81.

35 Greathouse, William M. O livro de Zacarias. In: *Comentário bíblico Beacon*, p. 328.

36 Phillips, Richard D. *Zacarias*, p. 242.

37 Wiersbe, Warren W. *Comentário bíblico expositivo*. Vol. 4, p. 581.

Capítulo 18

A vitória sobre os inimigos e o arrependimento do povo de Deus
(Zc 12.1-14)

O LIVRO DE ZACARIAS é dividido em duas partes principais: 1—8 e 9—14. Já consideramos o primeiro oráculo dessa segunda parte (9—11); agora vamos ver o segundo e último oráculo dessa segunda parte (12—14). Warren Wiersbe diz que, ao estudar esses três últimos capítulos de Zacarias, somos transportados para o fim dos tempos. Observe, por exemplo, a repetição das palavras *naquele dia* dezessete vezes. *Aquele dia* é o *Dia do Senhor*, o dia de ira e julgamento sobre o qual os profetas escreveram (Jl 3.9-16; Sf 1), que Jesus descreveu em Mateus 24.4-31 e do qual João falou em Apocalipse.[1]

Concordo, entretanto, com Richard Phillips quando ele diz que, embora no

Novo Testamento "o dia do Senhor" quase sempre se refira à segunda vinda de Cristo, a expressão "naquele dia" não se refere tanto a uma data marcada no calendário, mas a cada uma das muitas visitações de Deus registradas nas Escrituras, sempre com manifestações de poder, santidade e graça.[2]

O texto que vamos agora expor trata da retumbante vitória de Deus sobre os inimigos do Seu povo. Esse acontecimento não se encaixa em nenhum evento passado, por mais dramáticas que tenham sido as investidas contra Jerusalém. Trata-se, portanto, de uma profecia que nos leva para um futuro cumprimento. Feinberg corrobora essa ideia, dizendo que nenhuma coligação de nações como essa, nem mesmo na guerra romana do primeiro século contra Israel, jamais se verificou no passado.[3]

Richard Phillips afirma que os capítulos 12 e 13 formam uma só unidade, na qual aprendemos como Deus empregará Seu povo para confundir as nações (12.1-4), dando a ele força extraordinária (12.5-9), levando-o ao arrependimento (12.10-14) e, finalmente, purificando-o do pecado (13.1-6). A mensagem central é que o próprio Deus tornará eficaz o evangelho que Ele mesmo ofereceu. Ele preservará, animará, reunirá e purificará a igreja à qual ordenou salvar.[4]

O cerco de Jerusalém e a vitória sobre seus inimigos (12.1-9)

Zacarias está trazendo uma sentença (massa), um oráculo pesado, contra Israel. Na verdade, como diz William Greathouse, o peso não é "em" ou "contra" Israel, mas "sobre" ou "concernente a" Judá. O Senhor punirá severamente os inimigos de Seu povo, pois O maltrataram cruelmente.[5] Portanto, aqui não se trata do juízo de Deus sobre o Seu povo, mas do ataque de inimigos confederados que

A vitória sobre os inimigos e o arrependimento do povo de Deus

se unem contra Jerusalém; porém, mesmo que esse cerco seja medonho, Deus sairá em defesa de Jerusalém, para dar retumbante vitória ao Seu povo. Phillips, citando H. C. Leupold, esclarece esse ponto:

> Este oráculo é uma sentença contra Israel não porque Deus provocará aflição sobre a nação, mas por causa das circunstâncias pelas quais o povo de Deus precisa passar para ser liberto. Nesta passagem, a cidade de Deus é submetida a um feroz ataque e cerco e, apesar de ser liberta, é uma aflição que ela precisa suportar.[6]

Phillips levanta uma questão fundamental. Quem será o povo de Deus salvo aqui? Ha duas interpretações principais. Uma sustenta que Zacarias está se referindo ao Israel étnico e, portanto, fala sobre um ataque futuro e literal contra Jerusalém, o qual ocasionará um novo livramento, um arrependimento geral e uma conversão em massa dos judeus por meio do evangelho. A outra interpretação entende que esse texto se refere, especialmente, à igreja cristã, o verdadeiro Israel de Deus no Novo Testamento, e que seu cumprimento ocorre durante toda a era atual da graça.[7] Leupold dá o seu parecer: "As reivindicações feitas para o futuro de Jerusalém têm seu cumprimento final na verdadeira Sião de Deus — Sua igreja. Assim, toda a passagem fala sobre o cuidado soberano de Deus e a proteção da igreja do Antigo e do Novo Testamentos ao longo dos séculos".[8] Entendo que a profecia pode aplicar-se tanto ao Israel étnico (Rm 11.26) como à igreja cristã.

Destacamos a seguir alguns pontos importantes:

Em primeiro lugar, a onipotente supremacia de Deus demonstrada na criação (12.1). O Senhor que está falando é Aquele que detém em Suas mãos todo o poder. Ele é o Senhor da criação e também da história.

Esse poder criador pode ser visto de três maneiras.

Primeiro, quando se olha para cima: [Ele] *estendeu o céu...* (12.1a). Ele criou o universo, chamando à existência o que não existia. Do nada, Ele tudo criou. Sem matéria preexistente, Ele fez todas as coisas. A matéria não é eterna nem o mundo veio à existência por geração espontânea. O mundo não é resultado de uma grande explosão cósmica nem mesmo de uma evolução de milhões e milhões de anos. O mundo foi criado por Deus.

Segundo, quando se olha para baixo: *... fundou a terra...* (12.1b). O mesmo Deus que estendeu o céu também fundou a terra. A terra, nosso berço hospitaleiro, é obra das mãos do Criador.

Terceiro, quando se olha para dentro: *... e formou o espírito do homem dentro dele* (12.1c). Não só o céu e a terra foram criados por Deus, mas também o espírito do homem. Somos feitura dEle. Fomos criados à Sua imagem e semelhança. A obra criadora é uma evidência eloquente da existência de Deus e de Seu soberano poder.

Em segundo lugar, a onipotente supremacia de Deus demonstrada na vitória sobre Seus inimigos (12.2-4). Os inimigos do povo de Deus são inimigos de Deus. Aqueles que tocam no povo de Deus tocam na menina de Seus olhos (2.8). Quando os povos ao redor de Jerusalém cercarem a cidade do grande Rei, o Senhor mesmo sairá em sua defesa. Interpretando essa passagem, Richard Phillips diz que, quando o mundo avançar para destruir a igreja, em vez de a igreja ser destruída, seus inimigos [é que serão arruinados. Eles são confundidos para se autodestruírem (12.2).[9]

Destacamos aqui três pontos:

Primeiro, Deus transforma Jerusalém em fonte de juízo para Seus inimigos (12.2). *Eis que eu farei de Jerusalém um*

A vitória sobre os inimigos e o arrependimento do povo de Deus

cálice de tontear para todos os povos em redor e também para Judá, durante o sítio contra Jerusalém. Os inimigos cercarão Jerusalém para devorar a cidade, como alguém se aproxima de um copo de vinho para sorvê-lo. Deus, porém, transformará Seu povo em fonte de juízo para Seus adversários. Eles beberão para sua própria ruína. Eles ficarão zonzos, bêbados, trôpegos, vulneráveis. O cálice é um símbolo bem conhecido para representar a ira de Deus. Isso significa que o inimigo sofrerá um golpe que o fará cambalear.[10] Leupold descreve assim essa cena:

> Que cena: uma enorme vasilha de vinho; vários homens, representantes da Síria, Amom, Moabe, Edom, Filístia e Fenícia, reunidos em torno da vasilha e colocando os lábios na sua borda! Eles estão sedentos para engolir Israel. Mas, estranho dizer, um após o outro se retira, dá uma volta e cambaleia como um bêbado, pois Deus fez isso para ser um cálice de embriaguez [...]. Eles se tornam impotentes pelo vinho da ira de Deus e cambaleiam como bêbados tolos. A cidade de Deus permanece invencível.[11]

Segundo, Deus transforma Jerusalém num instrumento pesado para ferir e esmagar Seus inimigos (12.3). *Naquele dia, farei de Jerusalém uma pedra pesada para todos os povos; todos os que a erguerem se ferirão gravemente; e, contra ela, se ajuntarão todas as nações da terra.* O desbaratamento do inimigo será tão grande que Zacarias passa a indicá-lo agora por meio de outra figura. Deus fará de Jerusalém uma pedra pesada, que ferirá gravemente todos os que tentarem erguê-la.[12] Na Antiguidade, mover pedras pesadas era ocasião frequente de acidentes trágicos e perda de vida.[13] Mexer em Jerusalém é tentar remover uma pedra muito pesada, que cairá sobre os agentes dessa malfadada façanha. Os inimigos que se levantarem contra o povo de Deus serão feridos e esmagados.

A expressão *naquele dia* ocorre dezessete vezes nos capítulos 12—14 de Zacarias. Essa é uma descrição do fim dos tempos, quando Deus prevalecerá contra os inimigos de Seu povo, e o Senhor Jesus, ao retornar em glória, colocará todos os Seus inimigos debaixo dos pés (1Co 15.25).

Terceiro, Deus confunde os inimigos para eles se destruírem mutuamente (12.4). *Naquele dia, diz o Senhor, ferirei de espanto a todos os cavalos e de loucura os que os montam; sobre a casa de Judá abrirei os olhos e ferirei de cegueira a todos os cavalos dos povos.* Cavalos cegos e cavaleiros loucos não são uma ameaça para o povo de Deus, mas uma ameaça para eles mesmos. Em vez de lograrem êxito contra o povo de Deus, eles destroem a si mesmos, enquanto os olhos do Senhor se voltarão para Jerusalém com grande compaixão.

Em terceiro lugar, a onipotente supremacia divina demonstrada no fortalecimento do Seu povo (12.5-9). Deus torna forte o Seu povo fraco e torna fracos os inimigos fortes. Nas palavras de Feinberg, Deus tem duas maneiras de promover a vitória. De um lado, Ele supera os inimigos e priva-os de sua força; de outro, Ele fortalece e fortifica o Seu povo para resistir aos inimigos e conquistá-los.[14] Fica claro que a fonte da força e da vitória para Judá e para a igreja é o Senhor dos Exércitos. Como escreveu Lutero, na Marselhesa da Reforma, "Castelo forte é o nosso Deus".

A esse respeito, destacamos alguns pontos a seguir.

Primeiro, o povo de Deus é fortalecido com o próprio poder de Deus (12.5). *Então, os chefes de Judá pensarão assim: Os habitantes de Jerusalém têm a força do Senhor dos Exércitos, seu Deus.* O povo de Deus enfrenta os adversários não com sua própria força, mas com a força do Onipotente. É o braço estendido de Deus que dá vitória ao Seu povo. A igreja não vence os inimigos na força do braço da carne,

A vitória sobre os inimigos e o arrependimento do povo de Deus

mas na força do Onipotente. Devemos ser fortalecidos no Senhor e na força do Seu poder (Ef 6.10). O evangelho que nos alcançou é o poder de Deus. O reino de Deus que está dentro de nós não consiste em palavras, mas em poder. Está à nossa disposição a suprema grandeza do poder de Deus, o mesmo poder que ressuscitou Jesus dentre os mortos.

Segundo, o povo de Deus imporá vitória completa aos seus inimigos (12.6). *Naquele dia, porei os chefes de Judá como um braseiro ardente debaixo da lenha e como uma tocha entre a palha; eles devorarão, à direita e à esquerda, a todos os povos em redor, e Jerusalém será habitada outra vez no seu próprio lugar, em Jerusalém mesma.* Essas duas figuras seguem as figuras descritas anteriormente, ou seja, as figuras do cálice e da pedra (12.2,3). Agora, os líderes do povo de Deus são comparados a um braseiro ardente debaixo da lenha e a uma tocha de fogo entre a palha. Assim como o braseiro queima a lenha e a tocha de fogo devora a palha, os inimigos de Deus serão devorados e a cidade de Jerusalém ficará em paz como lar seguro para o povo de Deus. Phillips, aplicando essa passagem, comenta: "É disso que a igreja precisa, de pastores ardentes que tenham firmeza diante do mundo e coloquem sua dependência em Deus, propagando sua palavra como fogo".[15] Essa foi a postura de Martinho Lutero na dieta de Worms, em 521, e de Nicholas Ridley e Hugh Latimer na Inglaterra, no período da perseguição da rainha Maria Tudor.

Terceiro, Deus salvará o Seu povo em todos os lugares (12.7). *O Senhor salvará primeiramente as tendas de Judá, para que a glória da casa de Davi e a glória dos habitantes de Jerusalém não sejam exaltadas acima de Judá.* Deus começa a salvar o Seu povo do interior para a cidade de Jerusalém. Aqueles que se sentiam menos protegidos eram alcançados primeiro pelo livramento divino. Feinberg corrobora essa ideia dizendo que, a fim de que todos reconheçam que o livramento é do Senhor, Ele intervém primeiro a favor das tendas de Judá. As tendas de Judá contrastam com a capital bem fortificada. Os distritos distantes do país, que estariam mais expostos a ataques e assim mais desamparados, serão libertos primeiro.[16]

Quarto, Deus fortalecerá o Seu povo fraco com força irresistível (12.8). *Naquele dia, o Senhor protegerá os habitantes de Jerusalém; e o mais fraco dentre eles, naquele dia, será como Davi, e a casa de Davi será como Deus, como o Anjo do Senhor diante deles.* Os habitantes de Jerusalém se tornarão guerreiros poderosos nas mãos do Senhor. Até o mais débil entre o Seu povo será capaz de realizar proezas de fé em Seu nome, como aquelas demonstradas na vida de Davi, o grande guerreiro de Israel, invencível nas batalhas. E a casa de Davi triunfará de tal forma contra seus inimigos que eles serão como o próprio Anjo do Senhor, que dizimou num só dia 185 mil soldados assírios.

Quinto, Deus dá cabo de todos os inimigos do Seu povo (12.9). *Naquele dia, procurarei destruir todas as nações que vierem contra Jerusalém.* De acordo com J. G. Baldwin, à luz desse versículo, subentende-se um conflito mundial, e a vitória final de Jerusalém é certa, seja literal, seja figurada.[17] A vitória do povo de Deus vem do próprio Senhor. É Ele quem adestra nossas mãos para a batalha. É Ele quem triunfa sobre nossos inimigos e nos dá a vitória.

O choro do arrependimento (12.10-14)

Zacarias faz uma transição da alegria da vitória sobre os inimigos para o choro do arrependimento. O texto é assaz importante porque nos remete ao Messias, Aquele que trouxe salvação em Suas asas. Zacarias fala sobre o verdadeiro arrependimento, operado pelo Espírito de Graça e de súplicas, e demonstrado por um choro amargo, fruto da genuína contrição.

Concordo com Warren Wiersbe quando ele diz que será um tempo de arrependimento nacional profundo e sincero como nunca se viu.[18] Feinberg acrescenta que nada na história passada de Israel pode ser interpretado como cumprimento dessa passagem.[19] Porém, esse choro de arrependimento pode ser visto, também, sempre que um pecador, convencido de seu pecado, olha para Jesus e tem nEle copiosa redenção. Phillips coloca esse magno assunto da seguinte maneira:

> Em todo o livro de Zacarias, Deus está enfatizando a salvação que ele realizará tanto na época de Zacarias quanto posteriormente, por meio do Messias. Agora, nestes capítulos finais, vemos essa salvação aplicada ao seu povo pelo Espírito Santo. Encontramos aqui o fortalecimento interior da fé, o dom do arrependimento, a purificação e a perseverança dos crentes e, finalmente, sua glorificação em santidade, na consumação.[20]

Destacamos a seguir alguns pontos importantes:

Em primeiro lugar, o choro pelo pecado é a evidência do genuíno arrependimento (12.10). O apóstolo Paulo diz que é a bondade de Deus que nos conduz ao arrependimento (Rm 2.4). Os inimigos de Jerusalém foram derrotados pelo poder de Deus, e o povo de Jerusalém voltou-se para o Senhor em arrependimento por Sua graça. O arrependimento implica consciência de pecado, choro pelo pecado e volta do pecado para Deus. Essa volta para Deus não pode ser rasa nem epidérmica, mas profunda, sincera e verificável. É como o choro doído que uma pessoa sente por assassinar um inocente, ou como o choro pelo luto de um filho único, ou ainda o choro pela morte de um líder amado.

Em segundo lugar, o choro pelo pecado é amargo (12.10,11). Esse choro de contrição é tão profundo que se compara ao luto pela morte de um filho único e ao luto pela morte de Josias, o último rei piedoso de Judá. É digno de nota que não se trata de choro pelas consequências do pecado, mas de choro pelo pecado. Esse choro é tão amargo como a dor do luto por um filho único. A morte de um filho único se assemelha a eliminar da terra a raiz que dará continuidade à sua descendência. É uma dor sem o bálsamo do consolo. Essa foi a dor sentida no Egito, quando todas as famílias choravam a morte de seus primogênitos.

Mas esse choro foi comparado também ao luto pela morte do rei Josias, o último rei piedoso de Judá, nas mãos de faraó Neco. Feinberg tem razão ao dizer que Josias foi o único raio de esperança da nação entre Ezequias e a queda de Judá (2Rs 23.29,30; 2Cr 35.22-27).[21] Acredita-se que Hadade-Rimom era uma cidade que ficava no vale de Megido, onde esse monarca fora morto. Com a morte desse monarca, apagou-se a lâmpada da esperança de Jerusalém. De abismo em abismo, o povo caiu em desgraça, culminando no cerco e na tomada de Jerusalém pelos caldeus. David Baron expressou isso de forma clara: "Josias foi a última esperança do decadente reino judaico e, em sua morte, o último raio do pôr do sol de Judá desvaneceu-se na noite".[22]

Em terceiro lugar, o choro pelo pecado é um dom do Espírito Santo (12.10). O arrependimento não é obra humana, mas operação do Espírito de Deus. Só o Espírito Santo pode convencer o homem do pecado. Só esse Espírito de Graça e de súplicas pode quebrar a dureza do coração do homem, mudando as disposições íntimas de sua alma e fazendo-o olhar para Jesus e voltar-se para Deus. William Greathouse diz que a palavra "graça" aqui denota os dons e a influência do Espírito.[23] Concordo com Charles Spurgeon quando ele diz que a contrição é sempre obra do Espírito Santo. Nunca houve real contrição sincera, como a que opera arrependimento aceitável perante Deus, exceto aquela que resulta da própria obra do Espírito Santo no interior da alma.[24]

Em quarto lugar, o choro pelo pecado é fruto da visão do sofrimento de Jesus Cristo (12.10). J. I. Packer, ao tratar do sofrimento atroz que o Filho de Deus sofreu na cruz, escreve: "A dor física, apesar de intensa, era apenas uma pequena parte da história; os maiores sofrimentos de Jesus eram mentais e espirituais, e o que foi condensado em menos de 400 minutos foi uma eternidade de agonia — agonia tal que cada minuto por si só era uma eternidade".[25]

Aqueles que prenderam Jesus e O levaram ao pretório romano; aqueles que exigiram que Ele fosse pregado na cruz e zombaram dEle quando estava rumando para o Calvário; aqueles que escarneceram quando Ele foi traspassado na cruz, esses, agora, contemplam os sofrimentos vicários de Cristo e, tomados de convicção de pecado, choram penitentes. Leiamos o cumprimento dessa profecia: *Mas um dos soldados lhe abriu o lado com uma lança, e logo saiu sangue e água. Aquele que isto viu testificou, sendo verdadeiro o seu testemunho; e ele sabe que diz a verdade, para que também vós creiais. E isto aconteceu para se cumprir a Escritura: Nenhum dos seus ossos será quebrado. E outra vez diz a Escritura: Eles verão aquele a quem traspassaram* (Jo 19.34-37).

É oportuna a palavra de William Greathouse a esse respeito:

O pranto por Cristo começou na hora da crucificação (Lc 23.48). O número de pranteadores aumentou grandemente no dia de Pentecostes (At 2.36-41). Ao considerar que pelos seus pecados todas as pessoas foram envolvidas no traspassamento de Cristo, o choro de todo aquele que se arrepende é cumprimento parcial desta palavra profética. Mas o cumprimento final ocorrerá quando Cristo voltar pela segunda vez. Então, *uma nação nascerá em um dia*, pois, relacionado com a volta do Messias em glória, *todo o Israel será salvo* (Rm 11.26).[26]

Richard Phillips, olhando para além da crucificação, diz que o cumprimento dessa profecia ocorre pelo menos de quatro modos: 1) O primeiro cumprimento deu-se no dia de Pentecostes, quando o apóstolo Pedro afirmou: *Sendo este entregue pelo determinado desígnio e presciência de Deus, vós o matastes, crucificando-o por mãos de iníquos* (At 2.23); 2) o segundo modo de entender essa profecia tem a ver com a conversão do Israel étnico: ... *veio endurecimento em parte a Israel, até que haja entrado a plenitude dos gentios. E, assim, todo o Israel será salvo, como está escrito: Virá de Sião o Libertador, e ele apartará de Jacó as impiedades* (Rm 11.25,26); 3) um terceiro cumprimento é expresso em Apocalipse 1.7: *Eis que vem com as nuvens, e todo olho o verá, até quantos o traspassaram, e todas as tribos da terra se lamentarão sobre ele*; 4) um quarto modo pelo qual essa passagem se cumpre é quando um indivíduo se achega a Deus em arrependimento para a salvação: *Portanto, dize--lhes: Assim diz o Senhor dos Exércitos: Tornai-vos para mim, diz o Senhor dos Exércitos, e eu me tornarei para vós outros, diz o Senhor dos Exércitos* (1.3).[27]

A vitória sobre os inimigos e o arrependimento do povo de Deus

Em quinto lugar, o choro pelo pecado leva o pecador a olhar com fé para Jesus Cristo (12.10). O verdadeiro arrependimento não é apenas convicção de pecado ou mesmo choro pelo pecado. O arrependimento envolve razão, emoção e vontade e está sempre associado à fé em Jesus Cristo (Jo 3.7,14,15). Judas reconheceu seu pecado e ficou triste por causa dele, mas não se voltou para Jesus nem olhou para Ele com fé. O arrependimento desemboca na fé. É preciso abandonar o pecado e olhar para Jesus. Richard Phillips está correto ao dizer que "olhar para Ele" é um modo de descrever a fé, como é dito em Isaías: *Olhai para mim e sede salvos* (Is 45.22).[28]

Em sexto lugar, o choro pelo pecado é universal (12.12,13). O choro pelo pecado é evidenciado na família real, na família profética e na família sacerdotal. Abrange todas as classes. Nessa mesma linha de pensamento, William Greathouse diz que as famílias mencionadas especificamente nos versículos 12 e 13 eram representantes das principais camadas sociais da nação: a linhagem da casa de Davi representa a família real; a linhagem da casa de Natã, a linhagem profética; a linhagem da casa de Levi, o sacerdócio; a linhagem da casa de Simei, os escribas e mestres de Israel. Isso significa que o pranto será universal.[29]

Em sétimo lugar, o choro pelo pecado é solitário (12.12-14). Esse choro não é apenas geral a ponto de abranger todas as classes, mas, também, é particular, ou seja, refere-se a cada família à parte. Concordo com Baldwin quando ele diz que a repetição "sua família à parte e suas mulheres à parte" tem a intenção de sublinhar a sinceridade do arrependimento. Ninguém está meramente sendo influenciado pelas lágrimas dos outros, nem agindo de maneira hipócrita, como as carpideiras, que choravam por profissão.[30] F. B.

Meyer acrescenta que a dor excessiva busca a solidão. Não tolera distração; sua atenção está por demais absorta com o objeto da agonia que sofre para poder pensar em alguma outra coisa.[31] Feinberg diz, com razão, que cada um desejará estar a sós com Deus naquela hora.[32]

Concluo a exposição dessa solene passagem trazendo à sua memória esclarecida Apocalipse 1.7: *Eis que vem com as nuvens, e todo olho o verá, até quantos o traspassaram. E todas as tribos da terra se lamentarão sobre ele. Certamente. Amém.* Hoje você pode olhar para Jesus movido pelo Espírito de Graça e súplica e encontrar nEle o seu Salvador pessoal. Porém, depois, haverá um espírito de terror e desespero, quando os homens virem o Filho traspassado vindo em Sua majestade e glória (Ap 6.12-17). Naquele dia, Ele virá como Juiz para julgar, e não mais como Advogado para interceder em seu favor. Naquele dia, os homens grandes e pequenos, ricos e pobres, doutores e analfabetos, religiosos e ateus, lamentarão o Cristo traspassado não para sua salvação, mas para sua ruína eterna. Hoje você pode lamentar pelos seus pecados e olhar para Jesus com fé, para sua salvação!

A vitória sobre os inimigos e o arrependimento do povo de Deus

Notas

[1] WIERSBE, Warren W. *Comentário bíblico expositivo.* Vol. 4, p. 583.

[2] PHILLIPS, Richard D. *Zacarias*, p. 249.

[3] FEINBERG, Charles L. *Os profetas menores*, p. 313.

[4] PHILLIPS, Richard D. *Zacarias*, p. 248.

[5] GREATHOUSE, William M. O livro de Zacarias. In: *Comentário bíblico Beacon*, p. 328.

[6] PHILLIPS, Richard D. *Zacarias*, p. 248.

[7] Ibidem, p. 249.

[8] LEUPOLD, H. C. *Exposition of Zechariah*, p. 234.

[9] PHILLIPS, Richard D. *Zacarias*, p. 250.

[10] FEINBERG, Charles L. *Os profetas menores*, p. 314.

[11] LEUPOLD, H. C. *Exposition of Zechariah*, p. 227.

[12] FEINBERG, Charles L. *Os profetas menores*, p. 314.

[13] GREATHOUSE, William M. O livro de Zacarias. In: *Comentário bíblico Beacon*, p. 329.

[14] FEINBERG, Charles L. *Os profetas menores*, p. 314.

[15] PHILLIPS, Richard D. *Zacarias*, p. 254.

[16] FEINBERG, Charles L. *Os profetas menores*, p. 315.

[17] BALDWIN, J. G. *Ageu, Zacarias e Malaquias: introdução e comentário*, p. 159.

[18] WIERSBE, Warren W. *Comentário bíblico expositivo.* Vol. 4, p. 585.

[19] FEINBERG, Charles L. *Os profetas menores*, p. 316.

[20] PHILLIPS, Richard D. *Zacarias*, p. 259.

[21] FEINBERG, Charles L. *Os profetas menores*, p. 317.

[22] BARON, David. *The visions and prophecies of Zechariah.* Grand Rapids, MI: Kregel, 192, p. 451.

[23] GREATHOUSE, William M. O livro de Zacarias. In: *Comentário bíblico Beacon*, p. 329.

[24] SPURGEON, Charles H. *Metropolitan tabernacle pulpit.* Vol. 50. Pasadena, TX: Pilgrim Publications, 1969, p. 589-590.

[25] PACKER, J. I. *Knowing God.* Downers Grove, IL: InterVarsity, 1974, p. 176.

[26] GREATHOUSE, William M. O livro de Zacarias. In: *Comentário bíblico Beacon*, p. 330.

[27] PHILLIPS, Richard D. *Zacarias*, p. 260-261.

[28] Ibidem, p. 266.

[29] GREATHOUSE, William M. O livro de Zacarias. In: *Comentário bíblico Beacon*, p. 330.

[30] BALDWIN, J. G. *Ageu, Zacarias e Malaquias: introdução e comentário*, p. 163.

[31] MEYER, F. B. *Zacarias: o profeta da esperança*, p. 89.

[32] FEINBERG, Charles L. *Os profetas menores*, p. 318.

Capítulo 19

A fonte aberta da purificação
(Zc 13.1-6)

O CAPÍTULO 13 de Zacarias está estreitamente conectado com o capítulo 12. Uma vez que o povo que traspassou o Messias na cruz demonstra sincero e profundo arrependimento (12.10), então Deus lhes abre uma fonte suficiente, perene e inesgotável da purificação (13.1). Phillips diz que o capítulo 12 terminou com uma promessa do Espírito de Deus de produzir profundo lamento pelo pecado à luz dAquele que foi traspassado, enquanto o capítulo 13 segue com outra promessa, que responde perfeitamente à necessidade de todo pecador que lamenta: *Naquele dia, haverá uma fonte aberta* [...] *para remover o pecado e a impureza* (13.1).[1]

Uma vez que o pecado é uma poluição moral, Deus tem suficiente provisão para tirar essa poluição. Sua provisão é como uma fonte que jorra copiosamente, está acessível a todos e é suficiente para todos os que buscam nela a purificação.

A ideia de purificação não é um tema novo nas Escrituras. Não é Zacarias quem está trazendo esse assunto pela primeira vez. Já no Pentateuco, Moisés tratou desse magno assunto (Lv 15.4,5). O profeta Isaías falou da mesma temática (Is 1.16,18). Jeremias (Jr 4.14; 31.31,34) e Ezequiel (Ez 36.25) também tangeram esse tema ainda de forma mais clara.

A fonte purificadora de que Zacarias está tratando aponta para o Messias, para o Traspassado na cruz (12.10), para o Pastor ferido pela vara da ira de Deus (13.7). Jesus Cristo é essa própria fonte que traz purificação para o pecador. Ele é a propiciação pelos nossos pecados (1Jo 2.2). Por causa de Seu sacrifício vicário, Jesus aplacou a ira de Deus contra nós e expia os nossos pecados, purificando-nos com Seu sangue (1Jo 1.7).

A profecia acerca dessa fonte purificadora cumpre-se claramente em João 19.34: *Um dos soldados lhe abriu o lado com uma lança, e logo saiu sangue e água.* James Montgomery Boice esclarece esse ponto, ao escrever:

> Quando [João] viu o surpreendente jato de sangue e água do lado de Cristo, deve ter se lembrado de que, no sistema sacrificial do Antigo Testamento, o sangue era o meio designado para purificação do pecado e que, no ritual do templo, a água era usada para a purificação cerimonial de impurezas. Além do mais, ele saberia que a passagem de Zacarias citada (Zc 12.10), *eles verão aquele a quem traspassaram,* é seguida, quatro versículos adiante, do texto: *Naquele dia, haverá uma fonte aberta para a casa de Davi e para os habitantes de Jerusalém, para*

remover o pecado e a impureza. Vendo o sangue e a água jorrando e juntando esses dois detalhes, João deve ter concluído que a libertação da punição do pecado e a purificação de sua contaminação se encontram na morte de Jesus.[2]

A fonte aberta, a suficiente provisão divina para nossa purificação (13.1)

Zacarias escreve: *Naquele dia, haverá uma fonte aberta para a casa de Davi e para os habitantes de Jerusalém, para remover o pecado e a impureza* (13.1). À luz dessa sublime passagem, destacamos alguns pontos.

Em primeiro lugar, quando essa fonte é aberta (13.1). *Naquele dia...* Como essa profecia está diretamente relacionada com Jesus, o tempo em que essa fonte será aberta tem a ver com Sua obra redentora na cruz. O autor de Hebreus confirma isso nos capítulos 9 e 10, quando dá ênfase à nova e superior natureza do sacrifício de Cristo, comparando a natureza exterior e temporária dos antigos sacrifícios com os efeitos interiores e permanentes do sangue purificador de Cristo:

> *Portanto, se o sangue de bodes e de touros e a cinza de uma novilha, aspergidos sobre os contaminados, os santificam, quanto à purificação da carne, muito mais o sangue de Cristo, que, pelo Espírito eterno, a si mesmo se ofereceu sem mácula a Deus, purificará a nossa consciência de obras mortas, para servirmos ao Deus vivo!* (Hb 9.13,14).

Os sacrifícios do Antigo Testamento, que precisavam ser repetidos constantemente, eram símbolos do verdadeiro e eficaz sacrifício que foi realizado por Cristo na cruz. Mais uma vez, o autor de Hebreus deixa isso claro: *Entretanto, nesses sacrifícios faz-se recordação de pecados todos os anos, porque é impossível que o sangue de touros e de bodes remova pecados* (Hb 10.3,4). A fonte purificadora não foi aberta nesses sacrifícios que precisaram ser repetidos, mas no sacrifício de Cristo, para o qual esses sacrifícios apontavam. Leiamos novamente o autor de Hebreus:

> *Nessa vontade é que temos sido santificados, mediante a oferta do corpo de Jesus Cristo, uma vez por todas. Ora, todo sacerdote se apresenta, dia após dia, a exercer o serviço sagrado e a oferecer muitas vezes os mesmos sacrifícios, que nunca jamais podem remover pecados; Jesus, porém, tendo oferecido, para sempre, um único sacrifício pelos pecados, assentou-se à destra de Deus, aguardando, daí em diante, até que os seus inimigos sejam postos por estrado dos seus pés. Porque, com uma única oferta, aperfeiçoou para sempre quantos estão sendo santificados* (Hb 10.10-14).

Essa fonte aberta foi oferecida em Jerusalém quando Pedro pregou um sermão centrado na pessoa e na obra de Cristo, falando de Sua morte, ressurreição, ascensão e senhorio. Ali, por obra do Espírito Santo, muitos se compungiram em profundo arrependimento e, mediante a fé em Cristo, receberam remissão de seus pecados (At 2.14-41).

Eis as palavras do apóstolo Pedro, no dia de Pentecostes, aos que estavam com o coração compungido: *Arrependei-vos, e cada um de vós seja batizado em nome de Jesus Cristo para remissão dos vossos pecados, e recebereis o dom do Espírito Santo* (At 2.38). F. B. Meyer, citando John Bunyan, mostra a força e a eloquência das palavras *cada um de vós*:

— Cada um de vós — disse o apóstolo.

— Mas cuspi em seu rosto; há perdão para mim?

— Sim — é a resposta — para cada um de vós.

— Mas preguei nas mãos e nos pés dele os cravos que o traspassaram na cruz; há purificação para mim?

— Sim – exclama Pedro — para cada um de vós.

A fonte aberta da purificação

— Mas perfurei seu lado, embora ele nunca me tivesse feito mal algum; foi um ato implacável, cruel, e dele estou agora arrependido, pode esse pecado ser lavado?

A resposta constante é: cada um de vós. Arrependamo-nos, portanto, e voltemo-nos, para que nossos pecados sejam apagados. O sangue de Jesus Cristo, o Filho de Deus, nos purifica de todo o pecado.[3]

William Cowper, um dos mais talentosos poetas ingleses, expressa essa verdade bendita em um de seus hinos:

Há uma fonte cheia de sangue,

que flui das veias do Emanuel;

e pecadores, mergulhados dentro dela,

perdem todas as manchas de sua culpa.

Querido Cordeiro do sacrifício, Teu precioso sangue

nunca perderá sua força,

até que toda a igreja redimida de Deus

seja salva para não pecar mais.

Em segundo lugar, para quem essa fonte é aberta (13.1). *... haverá uma fonte aberta para a casa de Davi e para os habitantes de Jerusalém...* Para os mesmos que traspassaram o Filho de Deus, a fonte purificadora é aberta. Pedro oferece a salvação divina, que emana dessa fonte purificadora, àqueles que mataram e crucificaram Jesus, o Nazareno, *com mãos de iníquos* (At 2.23b). Na verdade, essa fonte está aberta para judeus e gentios, uma vez que Jesus morreu para comprar com o Seu sangue *os que procedem de toda tribo, língua, povo e nação* (Ap 5.9). O apóstolo Paulo diz que *Cristo morreu pelos nossos pecados, segundo as Escrituras* (1Co 15.3).

Em terceiro lugar, com que propósito essa fonte foi aberta (13.1). *... para remover o pecado e a impureza*. Aqui está um duplo sentido do pecado: sua culpa e sua força. A fonte que jorra de Jesus purifica tanto a culpa do pecado como a força do pecado. Feinberg diz que vemos nesse versículo a justificação e a santificação. A culpa judicial e a impureza moral serão removidas ao mesmo tempo.[4] A justificação significa o aniquilamento de nosso pecado, a retificação de uma relação errada com Deus, de forma que pela fé somos restaurados ao favor do Deus santo e justo. No sentido mais amplo, santificação significa a total renovação moral de nossa natureza decaída, que começa com a *lavagem da regeneração e da renovação do Espírito* (Tt 3.5) e se aperfeiçoa até a glorificação.[5]

Richard Phillips, por sua vez, diz que o texto aponta para duas gloriosas doutrinas: a propiciação e a expiação.[6] Vejamos mais a seguir.

Primeiro, a propiciação lida com a culpa do pecado. Pela propiciação, no sangue de Cristo, Deus mesmo providenciou um meio eficaz de aplacar Sua própria ira contra o pecado. John Stott define bem o que é a ira de Deus: "A ira de Deus é seu antagonismo permanente, inflexível, incessante, intransigente ao mal em todas as suas formas e manifestações".[7] O caráter santo de Deus exige que Ele odeie o pecado. Deus, então, propicia a si mesmo, ao aplicar Sua santa ira em Seu Filho, como nosso substituto. O Pai golpeia o Filho para poupar os pecadores. O justo morre pelos injustos. O apóstolo Paulo escreve:

> *Sendo justificados gratuitamente, por sua graça, mediante a redenção que há em Cristo Jesus; a quem Deus propôs, no seu sangue, como propiciação, mediante a fé, para manifestar a sua justiça, por ter Deus, na sua tolerância, deixado impunes os pecados anteriormente cometidos; tendo em vista*

a manifestação da sua justiça no tempo presente, para ele mesmo ser justo e o justificador daquele que tem fé em Jesus (Rm 3.24-26).

O apóstolo Paulo ainda diz: *Aquele que não poupou o seu próprio Filho, antes, por todos nós o entregou... (Rm 8.32).* O apóstolo João é enfático: *Filhinhos meus, estas coisas vos escrevo para que não pequeis. Se, todavia, alguém pecar, temos Advogado junto ao Pai, Jesus Cristo, o Justo; e ele é a propiciação pelos nossos pecados e não somente pelos nossos próprios, mas ainda pelos do mundo inteiro* (1Jo 2.1,2).

Isaías descreve essa verdade gloriosa da seguinte maneira:

> *Certamente, ele tomou sobre si as nossas enfermidades e as nossas dores levou sobre si; e nós o reputávamos por aflito, ferido de Deus e oprimido. Mas ele foi traspassado pelas nossas transgressões e moído pelas nossas iniquidades; o castigo que nos traz a paz estava sobre ele, e pelas suas pisaduras fomos sarados. Todos nós andávamos desgarrados como ovelhas; cada um se desviava pelo caminho, mas o* Senhor *fez cair sobre ele a iniquidade de nós todos* (Is 53.4-6).

Segundo, a expiação lida com a remoção do pecado. Phillips diz corretamente que, se a ira de Deus é o objeto da propiciação, a contaminação do pecado é o objeto da expiação (Zc 3.4). É isso o que recebemos por meio do sangue purificador de Cristo — propiciação diante de Deus, para que Sua ira contra o pecado seja satisfeita, e expiação para conosco, para que a contaminação do pecado seja removida.[8]

A purificação da terra e do povo como resultado da purificação do pecado (13.2-6)

Assim como João relata que o sangue e a água jorraram do corpo de Cristo na cruz (Jo 19.34), também o sangue redentor e a água purificadora jorram da fonte profetizada por Zacarias 13.1. Essa é a mesma promessa anunciada por Ezequiel:

> *Então, aspergirei água pura sobre vós, e ficareis purificados; de todas as vossas imundícias e de todos os vossos ídolos vos purificarei. Dar-vos-ei coração novo e porei dentro de vós espírito novo; tirarei de vós o coração de pedra e vos darei coração de carne. Porei dentro de vós o meu Espírito e farei que andeis nos meus estatutos, guardeis os meus juízos e os observeis. Habitareis na terra que eu dei a vossos pais; vós sereis o meu povo, e eu serei o vosso Deus. Livrar-vos-ei de todas as vossas imundícias; farei vir o trigo, e o multiplicarei, e não trarei fome sobre vós* (Ez 36.25-29).

Ao abrir uma fonte purificadora para o Seu povo, o próprio Deus age para restaurar a verdadeira adoração, removendo a idolatria e os falsos profetas. Concordo com F. B. Meyer quando ele diz que não basta Deus perdoar. Ele tem de tratar das fontes de toda a inconstância e apostasia de Seu povo. Haverá, portanto, tratamento forte e radical dos ídolos, profetas falsos e demônios.[9] Vejamos.

Em primeiro lugar, Deus remove os ídolos (13.2). *Acontecerá naquele dia, diz o Senhor dos Exércitos, que eliminarei da terra os nomes dos ídolos, e deles não haverá mais memória...* Warren Wiersbe diz corretamente que não apenas o coração do povo será purificado, mas também a própria terra será limpa de tudo o que é enganoso e a contamina, os ídolos e os falsos profetas.[10] A idolatria tinha sido ao longo dos séculos um laço para Israel. O cativeiro babilônico foi a fornalha da aflição com que Deus libertou os judeus da idolatria. Porém, há muitos outros ídolos, com novas roupagens, que precisam ser eliminados. Um ídolo é tudo aquilo que colocamos no lugar de Deus, sejam objetos religiosos ou coisas como nossas posses, emprego, popularidade, riqueza ou lazer.[11] No texto em tela, vemos a total rejeição dos ídolos, a ponto de seus nomes serem removidos da terra e da mente do povo.

Em segundo lugar, Deus remove os falsos profetas (13.2b). *... e também removerei da terra os profetas...* É claro que Zacarias está se referindo aqui aos falsos profetas, aqueles que enganavam o povo e o levavam à ruína, que sonegavam ao povo a Palavra de Deus e o enganavam com suas mentiras. A idolatria produz falsos profetas, e os falsos profetas alimentam a idolatria. Onde um está, o outro também se faz presente.

Em terceiro lugar, Deus remove o espírito imundo (13.2c). *... e o espírito imundo.* Essa é a única vez que essa expressão "espírito imundo" aparece no Antigo Testamento.[12] No Novo Testamento, o termo aparece muitas vezes, referindo-se a espíritos malignos que possuíam as pessoas.

Em quarto lugar, Deus despertará um sentimento de zelo pela verdadeira religião (13.3). *Quando alguém ainda profetizar, seu pai e sua mãe, que o geraram, lhe dirão: Não viverás, porque tens falado mentiras em nome do SENHOR; seu pai e sua mãe, que o geraram, o traspassarão quando profetizar.* Este versículo retrata uma devoção notável ao Senhor e uma rejeição radical aos falsos profetas. De acordo com Deuteronômio 13.6-10, era dever de todo o povo de Deus opor-se aos falsos profetas, mesmo que fossem eles os mais próximos da família. Phillips comenta que a devoção daqueles que foram purificados do pecado e da impureza será tão intensa que o amor por Deus e o zelo de Sua Palavra subjugarão as afeições naturais mais fortes.[13]

Em quinto lugar, os falsos profetas terão vergonha de se apresentarem como tais (13.4). *Naquele dia, se sentirão envergonhados os profetas, cada um da sua visão quando profiza; nem mais se vestirão de manto de pelos, para enganarem.* Os falsos profetas sempre foram populares. Profetizavam por dinheiro (Am 2.4; Mq 3.5,11) e pregavam o que o povo queria ouvir, e não o que o povo precisava ouvir. Pregavam para se promover e arrancar aplausos dos homens em vez de para levá-los ao arrependimento. Esses falsos profetas se misturavam no meio do povo usando as vestes características dos verdadeiros profetas, como Elias e mais tarde João Batista (2Rs 1.8; Mt 3.4). Agora, esses profetas da mentira estão em baixa. Estão cobertos de vexame e desprezo.

Em sexto lugar, os falsos profetas mentem acerca do seu ofício nefasto e têm medo de revelar sua identidade quando identificados (13.5,6). Esses falsos profetas tentam se esconder, passando por lavradores. Sabem que, se revelarem quem são e o que fazem, serão eliminados. Quando eram identificados com marcas no corpo de seu culto pagão (1Rs 18.28), mentiam acerca dessas cicatrizes dizendo que haviam sido feridos por amigos.

NOTAS

[1] PHILLIPS, Richard D. *Zacarias*, p. 270.

[2] BOICE, James Montgomery. *The minor prophets.* Vol. 2, p. 215.

[3] MEYER, F. B. *Zacarias: o profeta da esperança*, p. 91-92.

[4] FEINBERG, Charles L. *Os profetas menores,* p. 318.

[5] GREATHOUSE, William M. O livro de Zacarias. In: *Comentário bíblico Beacon*, p. 330.

[6] PHILLIPS, Richard D. *Zacarias*, p. 275.

[7] STOTT, John R. W. *The cross of Christ*. Downers Grover, IL: InterVarsity, 1986, p. 173.

[8] PHILLIPS, Richard D. *Zacarias*, p. 275-276.

[9] MEYER, F. B. *Zacarias: o profeta da esperança*, p. 92.

[10] WIERSBE, Warren W. *Comentário bíblico expositivo*. Vol. 4, p. 585.

[11] PHILLIPS, Richard D. *Zacarias*, p. 278.

[12] FEINBERG, Charles L. *Os profetas menores*, p. 319.

[13] PHILLIPS, Richard D. *Zacarias*, p. 278.

Capítulo 20

O Pastor ferido, as ovelhas dispersas e a fornalha purificadora
(Zc 13.7-9)

HÁ UMA ESTREITA CONEXÃO entre o texto anterior e este. Zacarias apresenta o verdadeiro pastor em contraste com os falsos profetas.[1] A fonte que foi aberta e jorra para a remoção da culpa do pecado e para a purificação da impureza do pecado emana da cruz de Cristo. Estamos aqui no "santo dos santos" da revelação bíblica. O texto trata da obra redentora de Cristo na cruz e de como esse sacrifício substitutivo proporciona plena salvação para o povo de Deus.

Algumas verdades sublimes devem ser aqui destacadas:

A espada do juízo que cai contra o pastor é acionada pelo próprio Deus (13.7)

A cruz estava encrustada no coração de Deus antes de ser levantada no Gólgota. É o próprio Deus quem chama a espada à ação: *Desperta, ó espada, contra o meu pastor...* Jesus não foi para a cruz porque sucumbiu ao poder de Roma. Não foi pregado no madeiro por ter sido vítima das tramas do Sinédrio. Não foi estendido naquele leito vertical da morte porque Judas o traiu ou porque Pilatos o sentenciou covardemente. Jesus foi para cruz porque o Pai O entregou por amor. Deus não poupou a Seu próprio Filho; antes, por todos nós O entregou. Phillips diz que esse versículo mostra o que o Novo Testamento declara: foi da vontade de Deus que Cristo fosse morto para que fôssemos purificados do nosso pecado. Foi para isso que Jesus veio ao mundo, em obediência ao que os teólogos chamam de "pacto de redenção" entre o Pai e o Filho, também conhecido como "eterno conselho" pelo qual prepararam nossa salvação.[2]

A espada do juízo fere o Amado do Pai (13.7)

A espada não vem contra os ímpios que acusaram Jesus; não vem contra os homens cruéis que esbordoaram Jesus e cuspiram nEle. Não vem contra o perverso governador que sentenciou Jesus à morte. Não vem contra aqueles que escarneceram dEle na cruz. A espada vem contra o Pastor amado. Ele é ferido em lugar dos pecadores. Ele é golpeado pela espada da lei, para que a justiça de Deus seja satisfeita e a lei de Deus seja cumprida. Ele foi golpeado em lugar do Seu povo.

Phillips chega a dizer que isso, a princípio, parece uma divisão dentro do ser divino, a casa de Deus dividida contra si mesma.[3] É o próprio Pai ferindo o Filho. Deus amou ao mundo de tal maneira que deu o Seu Filho Unigênito (Jo 3.16). T. V. Moore esclarece:

> Não há, em toda a extensão do conhecimento humano, nada mais terrivelmente sublime do que esse aparente cisma do ser divino. É como se o pecado fosse um mal tão horrível que a suposição de sua culpa por um mediador sem pecado tivesse de, por um tempo, causar uma divisão até na absoluta unidade do próprio ser divino. Esta é a ilustração mais terrível do poder repulsivo e divisor do pecado que a história do universo proporciona.[4]

Aquele que foi ferido pela espada é verdadeiramente homem (13.7)

O texto diz: *Desperta, ó espada, contra o meu pastor e contra o homem...* A palavra hebraica usada aqui para homem é *gebher*, e ela enfaticamente indica que o pastor é acima de tudo homem.[5] Para que o sacrifício de Cristo fosse plenamente aceitável para expiar nossos pecados, Ele precisava ser verdadeiramente homem. Por isso, o Verbo se fez carne e habitou entre nós (Jo 1.14). Assim, o Deus Filho se uniu a nós em carne para que pudesse nos unir a Ssi mesmo no espírito, com o resultado de nossa adoção nEle como filhos de Deus (Hb 2.11-17).

Aquele que foi ferido pela espada é verdadeiramente Deus (13.7)

Zacarias prossegue: *... que é o meu companheiro, diz o Senhor dos Exércitos...* A palavra hebraica *kamith*, traduzida por "meu companheiro", significa literalmente "meu igual" ou "companheiro em condições iguais".[6] Essa é uma evidência da divindade de Cristo. C. F. Keil, erudito estudioso do Antigo Testamento, escreve: "Aquele a quem Deus chama Seu próximo ou companheiro não pode ser um mero ser humano; só pode ser alguém que participa da natureza divina, ou seja, alguém essencialmente divino".[7]

Para fazer uma expiação de valor eterno que pudesse contemplar todos aqueles que o Pai amou de antemão (Rm 8.29), que escolheu por Sua própria determinação e graça, para a salvação antes dos tempos eternos (2Tm 1.9), e que elegeu em Cristo antes da fundação do mundo para serem santos e irrepreensíveis (Ef 1.4), era necessário que Ele fosse verdadeiro Deus, coigual, coeterno e consubstancial com o Pai.

Phillips tem razão ao dizer que, como homem, Cristo pagou a Deus a dívida dos homens; como Deus, Ele tinha as condições de pagá-la. Então, vemos que Aquele que foi ferido precisava ser tanto homem quanto Deus (Jo 10.14-18).[8]

Aquele que foi ferido pela espada foi ferido judicialmente (13.7)

Zacarias continua: ... *fere o pastor...* A espada era um instrumento de morte (Rm 13.4). O pastor divino não foi apenas ferido, mas ferido de morte, e não porque tivesse pecado pessoal para ser condenado, mas porque, como nosso fiador e substituto, colocou-se no nosso lugar e sofreu o golpe da lei que deveríamos sofrer. Ele se fez pecado por nós, e o salário do pecado é a morte. Ele foi feito maldição por nós, e os malditos eram crucificados. Ele morreu a nossa morte. O Pai feriu a Seu próprio Filho de morte, para não sentenciar a morte a você e a mim.

T. V. Moore elucida este ponto da seguinte maneira:

> A espada é símbolo de poder judicial. Assim, a grande doutrina apresentada aqui é que a morte de Cristo foi um ato judicial em que Ele suportou o castigo da lei, cuja força penal era representada por essa espada da ira divina. A ovelha merecia o golpe, mas o Pastor expõe

Seu próprio peito à espada, é ferido pelos pecados de Seu povo e suporta aqueles pecados em Seu próprio corpo no madeiro (1Pe 2.4). A natureza vicária da expiação é, portanto, distintamente implicada nesta passagem.[9]

As ovelhas do Pastor ferido ficarão dispersas (13.7)

Zacarias profetiza que, quando o Pastor for ferido, as ovelhas ficarão dispersas. Ele não estava falando de si mesmo, nem de algum outro profeta antes ou depois dele. Estava falando do próprio Filho de Deus, o bom, o grande, o supremo Pastor das ovelhas. O próprio Jesus, quando saiu do cenáculo, rumo ao Getsêmani, aplicou essa profecia de Zacarias a si mesmo, quando disse aos discípulos: *Esta noite, todos vós vos escandalizareis comigo; porque está escrito: Ferirei o pastor, e as ovelhas ficarão dispersas* (Mt 26.31).

Ao mesmo tempo que Jesus traz essas más novas para Seus discípulos, dizendo-lhes que ficariam dispersos, Ele os anima com outras boas-novas, dizendo-lhes que Ele mesmo irá adiante deles para restaurá-los: *Mas, depois da minha ressurreição, irei adiante de vós para a Galileia* (Mt 26.32). O bom Pastor reúne suas ovelhas dispersas, as congrega e as conduz. Aqueles discípulos acovardados, que se dispersaram quando Jesus foi preso, condenado, crucificado e sepultado, agora, diante da aparição do Cristo ressurreto, foram reunidos, encorajados e revestidos de poder, para impactarem o mundo com o evangelho.

As ovelhas do Pastor ferido serão espalhadas pelo mundo (13.8)

Assim escreve Zacarias: *Em toda a terra, diz o SENHOR, dois terços dela serão eliminados e perecerão; mas a terceira parte restará nela* (13.8). Warren Wiersbe diz que os judeus haviam ferido seu Pastor na cruz (12.10; Is 53.10), e esse ato de rejeição levou a nação a ser dispersa (Dt 28.64; 29.24,25). Hoje, ainda, Israel é um povo em parte espalhado, mas um dia será ajuntado; é um povo contaminado, mas um dia será purificado.[10]

Essa cifra matemática não deve ser entendida literalmente. Porém, o fato de o Filho de Deus ter sido o Pastor ferido e traspassado levou o povo de Israel a uma amarga dispersão. No ano 70 d.C., o general Tito invadiu Jerusalém, destruiu o templo, arruinou a cidade, passou milhares a fio de espada e espalhou os demais para o mundo, na mais longa diáspora da história, desde o ano 70 até 14 de maio de 1948.

Dionísio Pape diz que a rejeição do Messias acarreta o extermínio de grande número de judeus. De fato, desde a morte de Cristo, o judeu tem sido alvo de inúmeras perseguições, pogrons e holocaustos, tendo sua culminação no extermínio de 6 milhões na Segunda Guerra Mundial. No entanto, Deus promete que sobreviverá um restante de judeus, crentes no Senhor.[11] A preservação do povo de Deus nesses mais de dezoito séculos é uma evidência assaz eloquente da veracidade das Escrituras.

O mesmo Deus, porém, que espalhou os judeus pelo mundo, não rejeitou o Seu povo. O apóstolo Paulo ensina em Romanos 11 a respeito da futura vinda dos judeus à fé em Cristo: *Todo o Israel será salvo* [...] *Quanto ao evangelho, são eles inimigos por vossa causa; quanto, porém, à eleição, amados por causa dos patriarcas; porque os dons e vocação de Deus são irrevogáveis* (Rm 11.26,28,29).

A fornalha purificadora do remanescente fiel (13.9)

Assim escreve Zacarias: *Farei passar a terceira parte pelo fogo, e a purificarei como se purifica a prata, e a provarei como se prova o ouro; ela invocará o meu nome, e eu a ouvirei; direi: é meu povo, e ela dirá: O SENHOR é meu Deus*. William Greathouse observa que aqui está a base para a doutrina do Novo Testamento de *um remanescente segundo a eleição da graça* (Rm 11.5).[12] Quatro preciosas lições podem ser aprendidas com essa passagem.

Em primeiro lugar, o autor da prova (13.9). O autor da prova é o próprio Deus. Ele é quem está no controle da história. É o Senhor que fará o remanescente passar pelo fogo. É Deus quem abre a fonte. É Deus quem fere o pastor. É Deus quem faz o Seu povo passar pela fornalha da prova.

Em segundo lugar, o propósito da prova (13.9). Diz o profeta: *... e a purificarei....* O fogo de Deus só queima as amarras, mas torna Seus servos livres (Dn 3.24,25). O fogo de Deus não vem para destruir, mas para purificar. Quando Deus prova o Seu povo, é para limpá-lo, e não para deixá-lo encarvoado. Foi essa fornalha que eles suportaram no Egito (Dt 4.20) e na Babilônia (Is 48.10), mas o tempo da *tribulação de Jacó* será sua experiência mais intensa na fornalha.[13]

Em terceiro lugar, a forma da prova (13.9). *... como se purifica a prata, e a provarei como se prova o ouro...* A prata e o ouro são metais de grande valor. São metais nobres. Isso prova o valor que o povo de Deus tem para Ele. Quando o ourives coloca a prata no fogo, não é para destruí-la, mas para depurá-la de escórias. Quando o ouvires prova o ouro, não é para acabar com ele, mas para que seja limpo de toda impureza. O cadinho do ourives torna os metais mais nobres, mais belos, mais úteis e mais caros. É assim que Deus prova o Seu povo, até ver o brilho da Sua face resplandecendo neles.

Em quarto lugar, o resultado da prova (13.9). ... *ela invocará o meu nome, e eu a ouvirei; direi: é meu povo, e ela dirá: O Senhor é meu Deus.* Há aqui um tríplice resultado.

Primeiro, na prova o remanescente invoca o nome do Senhor. A aflição tem o propósito de nos colocar de joelhos.

Segundo, na prova o Senhor ouve o clamor do remanescente. Deus não rejeita um coração quebrantado. Ele é o Deus que vê, ouve e intervém para socorrer o Seu povo.

Terceiro, depois da prova a comunhão plena é restabelecida. Nesse momento, Deus diz acerca do remanescente: É meu povo, e o povo responde: O Senhor é o meu Deus. Ao mesmo tempo que Deus se deleita no Seu povo, o Seu povo se deleita nEle. Deus é tanto mais glorificado no Seu povo quanto mais o Seu povo se deleita nEle.

Concluo este capítulo com as preciosas palavras de Donald Grey Barnhouse:

> Ele dará ao homem as árvores da floresta e o ferro do solo. Depois dará ao homem o cérebro para fazer um machado do ferro para cortar a árvore e construir uma cruz. Ele dará ao homem a habilidade de fazer um martelo e pregos e, quando o homem tiver a cruz, o martelo e os pregos, o Senhor permitirá ao homem prendê-Lo e levá-Lo à cruz; Ele estenderá os braços do Filho de Deus naquela cruz e, ao fazê-lo, tomará os pecados do homem sobre si mesmo e possibilitará que os que O desprezaram e O rejeitaram venham a Ele e conheçam a alegria da remoção e perdão dos pecados, para conhecerem a segurança de perdão e vida eterna e para entrarem no prospecto da esperança de glória com Ele para sempre. Este é o nosso Deus, e não há nenhum igual a Ele.[14]

Notas

[1] WIERSBE, Warren W. *Comentário bíblico expositivo.* Vol. 4, p. 585.

[2] PHILLIPS, Richard D. *Zacarias*, p. 284.

[3] Ibidem.

[4] MOORE, T. V. *Haggai, Zechariah & Malachi.* Edimburgo: Banner of Truth, 1979, p. 292-293.

[5] GREATHOUSE, Willliam M. O livro de Zacarias. In: *Comentário bíblico Beacon*, p. 332.

[6] Ibidem, p. 322.

[7] KEIL, C. F.; DELITZSCH, F. *Commentary on the Old Testament.* Vol. 10, reimp. Peabody, MA: Hendriksen, 1996, p. 617.

[8] PHILLIPS, Richard D. *Zacarias*, p. 287.

[9] MOORE, T. V. *Haggai, Zechariah & Malachi*, p. 294.

[10] WIERSBE, Warren W. *Comentário bíblico expositivo.* Vol. 4, p. 585.

[11] PAPE, Dionísio. *Justiça e esperança para hoje*, p. 124-125.

[12] GREATHOUSE, William M. O livro de Zacarias. In: *Comentário bíblico Beacon*, p. 322.

[13] WIERSBE, Warren W. *Comentário bíblico expositivo.* Vol. 4, p. 585.

[14] BARNHOUSE, Donald Grey. In: BOICE, James Montgomery. *The minor prophets*, p. 25.

Capítulo 21

A segunda vinda do Messias e Seu reino de glória
(Zc 14.1-11)

O PROFETA ZACARIAS descreveu, com cores vivas, tanto a primeira como a segunda vindas do Messias. Mostrou tanto Sua chegada humilde como Seu retorno em glória. Inquestionavelmente, é um dos profetas que mais exaltam a Cristo, Sua pessoa, Sua obra e Seu triunfo. A pessoa bendita do nosso glorioso Redentor pode ser vista, com diáfana clareza, em todos os capítulos deste livro.

Para maior compreensão desse último capítulo, vale a pena fazermos uma breve retrospectiva. Jerusalém havia caído nas mãos dos caldeus em 586 a.C., quando Nabucodonosor cercou, tomou e destruiu a cidade. O povo foi levado a um amargo cativeiro de setenta anos.

O Império Caldeu caiu nas mãos de Ciro, o persa, em 539 a.C., e nesse mesmo ano, Ciro, cumprindo as profecias de Isaías e Jeremias, determina a volta dos judeus a Jerusalém para a reconstrução do templo, sob a liderança de Zorobabel. Em face da oposição dos samaritanos, uma carta foi enviada a Ciro, recomendando que ele desse ordens expressas para paralisar a obra. A justificativa deles é que a cidade de Jerusalém era rebelde e os judeus tinham más intenções contra o rei. Ciro não chegou a receber essa carta porque estava em guerra e veio a morrer nessa batalha. Seu filho, Cambises, homem cruel e violento, leu a carta e determinou que a obra fosse interrompida. Este, sabendo que havia grandes turbulências no império e que tinha sido traído por um grande líder da corte imperial, comete suicídio. Dario assume o trono e apazigua o clima de tensão no império. O profeta Daniel era um dos seus homens de confiança. Dario suspende os embargos da reconstrução do templo de Jerusalém, determinando que a obra fosse continuada. Com a morte de Dario, seu filho Xerxes I, também chamado de Assuero, casado com a rainha Ester, passa a governar. Nesse tempo, houve uma conspiração contra todos os judeus, e por pouco um holocausto não teria varrido da terra o povo judeu, o povo da promessa. Com a morte de Assuero, seu filho Artaxerxes passa a reinar em seu lugar. No sétimo ano de seu governo, Esdras vai a Jerusalém com uma segunda comitiva. No vigésimo ano de seu governo, Neemias inicia a reconstrução dos muros.

O Império Medo-Persa caiu mais tarde nas mãos dos macedônios, e os gregos passaram a dominar o mundo. Alexandre, o Grande, filho de Felipe e discípulo de Aristóteles, conquistou o mundo da época, mas não tomou Jerusalém. Com sua morte súbita em junho de 323 a.C.,

A segunda vinda do Messias e Seu reino de glória

seu reino foi repartido entre quatro generais. Israel passa a ser dominado ora pelos ptolomeus egípcios, ora pelos selêucidas sírios. Foi sob o governo do impiedoso Antíoco Epifânio, quando o altar do templo foi profanado, que ocorreu a guerra dos macabeus. A vitória destes sobre aquele dá ao povo de Israel décadas de liberdade, até que Pompeu, em 63 a.C., conquista aquela região e começa então o domínio romano sobre o território de Israel. Quando Jesus nasce, é o imperador César Augusto quem está governando o vasto Império Romano. Quando Jesus morre, Tibério César está no comando do império. Depois vêm Calígula, Cláudio, Nero, Tito Flávio, Vespasiano e Domiciano. Foi no governo de Domiciano que João foi levado para a ilha de Patmos, de onde escreve as coisas que em breve devem acontecer (Ap 1.1; 4.1) O profeta Zacarias tratou, também, dessas coisas que em breve devem acontecer.

Ao voltarmos ao texto de Zacarias 14.1-11, precisamos admitir, com humildade, que esta não é uma passagem fácil de interpretar e, por isso, há diversas e até diferentes opiniões dos eruditos acerca do seu verdadeiro significado. O comentário de Martinho Lutero sobre o capítulo 14 de Zacarias começa assim: "Aqui, neste capítulo, eu desisto, pois não tenho certeza do que o profeta está falando".[1] Pegando carona na abordagem de Richard Phillips, destaco a seguir as três principais correntes de interpretação.[2]

Em primeiro lugar, a visão pós-milenarista. A visão pós-milenarista vê nesse capítulo uma descrição figurada da igreja. Entendem que Israel e Jerusalém no Antigo Testamento correspondem à igreja cristã do Novo Testamento. Paulo chama os cristãos de *o Israel de Deus* (Gl 6.16). Hebreus 12.22-24 diz que os cristãos chegaram espiritualmente à Jerusalém espiritual, a cidade do Deus vivo, onde a igreja se reúne em assembleia. Tudo o que Jerusalém representa se manifesta agora na igreja.

Em segundo lugar, a visão pré-milenarista. F. B. Meyer diz que é possível dar interpretações metafóricas ou espiritualizadas a todas essas expressões, mas fazê-lo é pôr em perigo toda a força e valor da Escritura profética.[3] Essa corrente entende que não é prudente espiritualizar essas profecias específicas. Os pré-milenaristas acreditam na literalidade dos acontecimentos registrados nesse capítulo, inclusive na radical mudança topográfica da cidade de Jerusalém.

Em terceiro lugar, a visão amilenarista. A visão amilenarista é uma espécie de equilíbrio entre as duas correntes anteriores. O grosso dessas profecias concentra-se na vinda do verdadeiro Rei (9.9), Sua rejeição pelo povo e o subsequente juízo de Deus sobre Jerusalém (11.1-14), mas, depois, acontece a purificação de muitos que olham para Aquele a quem traspassaram e são salvos (12.10-13), o que acontece na era do evangelho. O próximo evento que ocorre após o progresso do evangelho é a segunda vinda de Cristo para julgar as nações e estabelecer Seu reino de glória.

Consideradas essas correntes de interpretação, voltemos à exposição do texto.

O ataque avassalador das nações contra o povo de Deus (14.1,2)

Baldwin diz que o tema "guerra e vitória" atinge agora a fase final.[4] F. B. Meyer afirma que, nesse tempo, o inferno estará à solta e nenhuma restrição será imposta aos excessos da soldadesca furiosa.[5] Porém, é nesse tempo que as trevas parecerão mais espessas; é que o Sol da Justiça virá em glória para derrotar os inimigos e estabelecer Seu reino de glória, paz e santidade. Dionísio Pape explica que o último

A segunda vinda do Messias e Seu reino de glória

capítulo de Zacarias corresponde aos últimos capítulos de Apocalipse, em que o triunfo final do Senhor é assegurado. A profecia termina exaltando o Senhor que reina sem rivais (14.9). Todas as nações servem ao Senhor, e os rebeldes são visitados com o castigo mais horrível imaginável (14.12). As riquezas das nações inimigas são apropriadas por Judá (14.12). Segue-se a paz mundial, e todas as nações sobem para adorar o Senhor (14.16). A cena de paz e santidade é pintada em termos de idealismo profético (14.20,21).[6]

Destacamos alguns pontos a seguir:

Em primeiro lugar, o próprio Deus é o agente desse ataque (14.2). *Porque eu ajuntarei todas as nações para a peleja contra Jerusalém...* Feinberg diz que essa é a confederação universal dos exércitos das nações descritas no Salmo 2, em Joel 2, em Ezequiel 38 e 39, em Apocalipse 16 e 19. No versículo 2, Jerusalém é o objeto do juízo de Deus, assim como é objeto de bênçãos nos versículos 9-11 e 16-21.[7] Deus disciplina Seu povo e usa as nações como vara dessa disciplina. Foi Deus quem entregou Jerusalém nas mãos dos caldeus e agora, novamente, é Deus quem traz as nações para atacarem Jerusalém. O Senhor é Deus quando disciplina Seu povo e também é Deus quando dá vitória ao Seu povo contra seus inimigos. As nações não têm poder de agir fora do propósito soberano de Deus. Até mesmo o diabo está limitado em sua ação. Ele só pode ir até onde Deus lhe permite ir, nem um centímetro a mais. É Deus quem tem as rédeas da história em Suas mãos. É Ele quem dirige a história e a conduzirá à sua consumação final.

Em segundo lugar, o ataque contra o povo de Deus atinge seus bens (14.1,2). *Eis que vem o Dia do Senhor, em que os teus despojos se repartirão no meio de ti [...] a cidade será tomada, e as casas serão saqueadas...* A perseguição ao povo de Deus, ao longo da história, revelou a ganância insaciável dos opressores. Eles saqueiam e ajuntam espólios. Eles se enriquecem com violência. O versículo 2 diz que não apenas a cidade será tomada, mas também as casas serão saqueadas.

Em terceiro lugar, o ataque contra o povo é desumano e desonra os mais frágeis (14.2). *... e as mulheres* [serão] *forçadas...* Oh, quanto abuso o povo de Deus tem sofrido nas mãos de seus opressores! Eles invadem as cidades, arrebatam os bens e abusam das mulheres.

Em quarto lugar, o ataque ao povo de Deus resulta em cativeiro (14.2). *... metade da cidade sairá para o cativeiro, mas o restante do povo não será expulso da cidade.* O povo de Deus viveu muitos exílios. Eles foram prisioneiros no Egito e na Babilônia. Foram arrancados de sua cidade pelos romanos e espalhados pelo mundo. O povo de Deus é forasteiro neste mundo. Está sempre vivendo uma diáspora (1Pe 1.1,2).

O que esses fatos supramencionados representam para a igreja? A jornada da igreja tem sido marcada por grandes lutas, profundos vales, amargas perseguições e longas dispersões. Na verdade, a entrada no reino de Deus se dá por meio de muitas tribulações (At 14.22). Os crentes são forasteiros e vivem dispersos pelo mundo (1Pe 1.1,2). Eles são contristados com várias provações (1Pe 1.6,7). Oh, quanto sofrimento os cristãos enfrentaram no Império Romano! Os cristãos foram crucificados, queimados vivos, mortos afogados, mortos a pauladas e jogados às feras. Hebreus 11.35-38 faz um resumo dessas terríveis perseguições que o povo de Deus sofreu desde priscas eras: escárnios, açoites, algemas, prisões e apedrejamento. Eles foram serrados ao meio e mortos a fio de espada. Foram afligidos e maltratados. As Escrituras são ainda eloquentes em mostrar esse terrível sofrimento que o povo de Deus enfrentará antes do tempo do fim (Dn 9.24-27; 2Ts 2.3,4; Ez 38—39; 14.1,2).

A aparição gloriosa do Salvador trazendo livramento ao Seu povo (14.3-5)

Quando a força do mal estiver no estágio mais avançado, o Senhor aparecerá para libertar o Seu povo e colocar os Seus inimigos debaixo dos pés. Phillips diz que a ênfase aqui não é sobre o sofrimento do povo de Deus, mas sobre o grande livramento que o seguirá (14.3). O Antigo Testamento oferece vários exemplos do livramento de Deus na hora do aperto, como a vitória de Moisés no mar Vermelho, de Josué sobre Jericó, de Gideão sobre os midianitas, de Josafá sobre os exércitos de Moabe e Amom, e de Ezequias sobre os soldados assírios, quando um anjo do Senhor matou numa mesma noite 185 mil soldados assírios.[8]

Ezequiel registra esse episódio do livramento do povo de Deus nesse tempo do fim da seguinte maneira:

> Naquele dia, quando vier Gogue contra a terra de Israel, diz o SENHOR Deus, a minha indignação será mui grande. [...] Contenderei com ele por meio da peste e do sangue; chuva inundante, grandes pedras de saraiva, fogo e enxofre farei cair sobre ele, sobre as suas tropas e sobre os muitos povos que estiverem com ele. Assim, eu me engrandecerei, vindicarei a minha santidade e me darei a conhecer aos olhos de muitas nações; e saberão que eu sou o SENHOR (Ez 38.18,22,23).

Destacamos a seguir alguns pontos para a nossa reflexão. Em primeiro lugar, o Senhor triunfa sobre os inimigos do Seu povo (14.3). *Então, sairá o SENHOR e pelejará contra essas nações, como pelejou no dia da batalha.* A vitória de Jerusalém não virá dela mesma, mas de Seu Senhor. Não brotará dos recursos da terra, mas do poder que emana do céu. É o Senhor que peleja as nossas guerras. É dEle que vem a vitória. Quando o Senhor aparecer nas nuvens de glória, em Sua poderosa vinda, Ele matará o anticristo com o sopro da Sua boca (2Ts 2.8) e colocará todos os Seus inimigos debaixo dos pés (1Co 15.25).

F. B. Meyer diz que essa manifestação do Senhor trazendo livramento no meio do mais rigoroso apuro pode ser ilustrado com a situação vivida por José e seus irmãos. Foi quando os irmãos de José estavam no maior dos apuros que ele se lhes deu a conhecer; e, quando os judeus estiverem em situação extrema, gritarão por ajuda e livramento Àquele a quem rejeitaram. A cena memorável no antigo país das pirâmides será reproduzida em toda a sua ternura, quando o Irmão há muito rejeitado dirá a Seus irmãos de sangue: "Sou Jesus, seu Irmão, a quem vocês venderam a Pilatos: e agora, não fiquem tristes, tampouco aborrecidos consigo mesmos por me haverem entregue para ser crucificado; pois Deus me enviou adiante de vocês para preservar um remanescente na terra e para preservar a vida de vocês mediante um grande livramento".[9]

Em segundo lugar, o Senhor dará escape para o Seu povo (14.4,5a). Assim registra Zacarias:

> *Naquele dia, estarão os seus pés sobre o monte das Oliveiras, que está defronte de Jerusalém para o oriente; o monte das Oliveiras será fendido pelo meio, para o oriente e para o ocidente, e haverá um vale muito grande; metade do monte se apartará para o norte, e a outra metade, para o sul. Fugireis pelo vale dos meus montes, porque o vale dos montes chegará até Azal; sim, fugireis como fugistes do terremoto nos dias de Uzias, rei de Judá...*

A segunda vinda do Messias e Seu reino de glória

Há aqueles que pensam que esse texto deve ser interpretado de forma literal. Creem num cataclismo geográfico, a ponto de a topografia da cidade de Jerusalém ser radicalmente mudada para oferecer ao povo oprimido um escape. Entendem, ainda, que essa passagem seria o cumprimento literal das palavras dos anjos aos discípulos, quando da ascensão do Senhor Jesus no monte das Oliveiras:

> Ditas estas palavras, foi Jesus elevado às alturas, à vista deles, e uma nuvem o encobriu dos seus olhos. E, estando eles com os olhos fitos no céu, enquanto Jesus subia, eis que dois varões vestidos de branco se puseram ao lado deles e lhes disseram: Varões galileus, por que estais olhando para as alturas? Esse Jesus que dentre vós foi assunto ao céu virá do modo como o vistes subir (At 1.9-11).

Vale destacar, porém, que os anjos falam do modo da segunda vinda, e não da geografia da segunda vinda. Não há aqui nenhuma promessa de que Jesus, por ter subido para o céu do monte das Oliveiras, voltará do céu ao monte das Oliveiras. Entendemos, portanto, que a melhor interpretação desse texto é que Zacarias está falando numa linguagem figurada e num estilo apocalíptico.

João Calvino, comentando essa passagem, diz que o Senhor não está aqui prometendo um milagre, como os ignorantes concebem ser uma descrição literal; nem o Senhor está aqui prometendo rasgar o monte das Oliveiras ao meio, a ponto de abrir um vale entre a parte oriental e a parte ocidental do monte.[10] A mensagem central do profeta é que Deus provê livramento para o Seu povo em tempos de aflição e, da mesma forma que abriu o mar Vermelho (Êx 14.13), assim também oferece livramento em tempos de tentações (1Co 10.13). Precisamos nos lembrar disso quando a situação estiver ruim e a esperança se desvanecer.

Assim como Deus livrou maravilhosamente Seu povo em outros tempos, Ele também o fará novamente, quando o Senhor vier em glória para buscar a Sua igreja, a Sua noiva, a escrava resgatada.

Em terceiro lugar, o Senhor virá em glória com os Seus santos (14.5b). *... então, virá o SENHOR, meu Deus, e todos os santos, com ele.* Esta é uma descrição meridianamente clara da segunda vinda de Cristo. Quando Jesus voltar em glória, Ele trará os remidos, que estarão reinando com Ele, nesse cortejo triunfal. Essa é a mesma linguagem usada pelo apóstolo Paulo:

> *Pois, se cremos que Jesus morreu e ressuscitou, assim também Deus, mediante Jesus, trará, em sua companhia, os que dormem. Ora, ainda vos declaramos, por palavra do Senhor, isto: nós, os vivos, os que ficarmos até à vinda do Senhor, de modo algum precederemos os que dormem. Porquanto o Senhor mesmo, dada a sua palavra de ordem, ouvida a voz do arcanjo, e ressoada a trombeta de Deus, descerá dos céus, e os mortos em Cristo ressuscitarão primeiro; depois, nós, os vivos, os que ficarmos, seremos arrebatados juntamente com eles, entre nuvens, para o encontro do Senhor nos ares, e, assim, estaremos para sempre com o Senhor* (1Ts 4.14-17).

As bênçãos singulares concedidas pelo Senhor ao Seu povo (14.6-11)

Há cinco verdades preciosas que vamos destacar a seguir.

Em primeiro lugar, a vinda do Senhor será apoteótica (14.6,7). *Acontecerá, naquele dia, que não haverá luz, mas frio e gelo. Mas será um dia singular conhecido do SENHOR; não será nem dia nem noite, mas haverá luz à tarde.* Phillips explica que a versão Almeida Revista e Atualizada traduz por "frio e gelo"; porém, a maioria dos comentaristas entende que o texto aqui significa literalmente uma perda de

A segunda vinda do Messias e Seu reino de glória

luz das estrelas e planetas. Essa tradução encaixa-se melhor no sentido geral da passagem. Zacarias está descrevendo um dia singular, um dia como nenhum outro. É um novo dia, uma entrada no âmbito eterno em que o dia e a noite, com suas respectivas luzes, sumirão. Como diz Apocalipse 21.23: *A cidade não precisa nem do sol, nem da lua, para lhe darem claridade, pois a glória de Deus a iluminou, e o Cordeiro é a sua lâmpada.* Esse é o dia "conhecido do Senhor", para o qual toda a história caminha.[11] Baldwin diz corretamente que o tempo não será mais medido em dias, porque não anoitecerá mais. O dia singular será contínuo (Is 60.19,20; Ap 21.25; 22.5).

Em segundo lugar, um rio de vida será aberto (14.8). *Naquele dia, também sucederá que correrão de Jerusalém águas vivas, metade delas para o mar oriental, e a outra metade, até ao mar ocidental; no verão e no inverno, sucederá isto.* Há aqueles que entendem que aqui está o sonho de abundância de água em Jerusalém se tornando realidade. Em lugar da fonte Giom, cuja água corria brandamente até o tanque de Siloé (Is 8.6) e nunca supria totalmente as necessidades da cidade, surgirão em Jerusalém rios independentes das chuvas das estações, jorrando para leste (mar Morto) e oeste (mar Mediterrâneo). Ezequiel 47.1-12 faz menção de um só rio, que corria na direção leste, rumo ao mar Morto.[12] Hipotecamos apoio, porém, ao que diz Phillips: "Esta é uma maravilhosa representação das bênçãos da salvação".[13] O jardim do Éden foi regado com a água que corria dos quatro rios (Gn 2.10). A visão de Ezequiel fala sobre um rio que corre de debaixo do limiar do templo. Quanto mais longe fluía, mais profundo se tornava, purificando e limpando tudo à sua frente e trazendo vida. Leiamos o relato de Ezequiel:

Estas águas [...] entram no mar Morto, cujas águas ficarão saudáveis. Toda criatura vivente que vive em enxames viverá por onde quer que passe este rio [...]. Junto ao rio, às ribanceiras, de uma e de outra banda, nascerá toda sorte de árvore que dá fruto para se comer; não fenecerá a sua folha, nem faltará o seu fruto [...], porque as suas águas saem do santuário; o seu fruto servirá de alimento, e a sua folha, de remédio (Ez 47.8,9,12).

Ainda é digno de destaque que a Jerusalém terrena não possui nenhum rio; toda a sua água vem de fontes subterrâneas. Contudo, um rio corre da cidade de Deus, de onde os fiéis bebem há muito tempo (Sl 46.4). Concordo, então, com Phillips quando ele diz que esse versículo está falando sobre a água que bebemos por meio da fé em Jesus Cristo (Jo 7.37,38). Esse rio é uma referência ao próprio Espírito de Deus que recebemos e habita em nós (Jo7.39).[14]

Em terceiro lugar, o governo do Senhor é universal (14.9). *O Senhor será Rei sobre toda a terra; naquele dia, um só será o Senhor, e um só será o seu nome.* Aqui está a verdadeira consumação de toda a história, a coroação do Senhor Jesus como Rei sobre todos. Isso é o que Paulo escreve: *Pelo que também Deus o exaltou sobremaneira e lhe deu o nome que está acima de todo nome, para que ao nome de Jesus se dobre todo joelho, nos céus, na terra e debaixo da terra, e toda língua confesse que Jesus Cristo é Senhor, para a glória de Deus Pai* (Fp 2.9-11). Por isso, as vozes do mundo clamam: *O reino do mundo se tornou de nosso Senhor e do seu Cristo, e ele reinará pelos séculos dos séculos* (Ap 11.15).[15] De acordo com Baldwin, o que é novo aqui é que todos reconhecerão que o Senhor é o único Deus (Is 45.5).[16]

Em quarto lugar, Jerusalém será exaltada (14.10). *Toda a terra se tornará como a planície de Geba a Rimom, ao sul de Jerusalém; esta será exaltada e habitada no seu lugar, desde a Porta de Benjamim até ao lugar da primeira porta, até à Porta da Esquina e desde a Torre de Hananeel até aos lugares do rei.* As montanhas ao redor de Jerusalém escondem-na e a protegem (Sl 125.1,2). Na linguagem do profeta, as montanhas se tornam planície diante da exaltada Jerusalém, para que ela seja vista em todo o seu esplendor, como a cidade do grande Rei. Os montes são nivelados para formar um muro de platô, enquanto Jerusalém é elevada para ser vista de todos os lados.

Concordo com Phillips quando ele diz que a ideia aqui é teológica, e não topográfica. Trata-se do ideal profético alcançado na glorificação do monte e da cidade de Deus. O profeta Isaías predisse: *Nos últimos dias, acontecerá que o monte da Casa do SENHOR será estabelecido no cume dos montes e se elevará sobre os outeiros, e para ele fluirão todos os povos* (Is 2.2).[17] Zacarias está aqui descrevendo a exaltação da noiva do Cordeiro, a Nova Jerusalém: ... *Vem, mostrar-te-ei a noiva, a esposa do Cordeiro; e me transportou, em espírito, até a uma grande e elevada montanha e me mostrou a santa cidade, Jerusalém, que descia do céu, da parte de Deus, a qual tem a glória de Deus...* (Ap 21.9-11).

Em quinto lugar, Jerusalém será lugar de segurança e plena felicidade (14.11). *Habitarão nela, e já não haverá maldição, e Jerusalém habitará segura.* Depois do exílio, a população de Jerusalém era pequena (2.4; 8.5,6). Mesmo nos dias de Neemias, era preciso fazer pressão para que as pessoas povoassem a cidade (Ne 7.4; 11.1,2). Mas, como temos demonstrado, Jerusalém é um símbolo da igreja. Zacarias está apontando para algo maior do que simplesmente o repovoamento de Jerusalém. Ele está falando sobre a igreja glorificada, a Nova Jerusalém, a cidade santa, onde nada contaminado entrará (Ap 21.27). O mal será eliminado da cidade. Deus estará com o Seu povo, e o Seu povo o servirá e com Ele reinará pelos séculos sem fim, em plena segurança e perene paz.

Notas

[1] LUTHER, Martin. *Luther's Works*. St. Louis, Missouri: Concordia, 1973, 20:337.

[2] PHILLIPS, Richard D. *Zacarias*, p. 294-296.

[3] MEYER, F. B. *Zacarias: o profeta da esperança*, p. 95.

[4] BALDWIN, J. G. *Ageu, Zacarias e Malaquias: introdução e comentário*, p. 167.

[5] MEYER, F. B. *Zacarias: o profeta da esperança*, p. 96.

[6] PAPE, Dionísio. *Justiça e esperança para hoje*, p. 125.

[7] FEINBERG, Charles L. *Os profetas menores*, p. 324.

[8] PHILLIPS, Richard D. *Zacarias*, p. 298-299.

[9] MEYER, F. B. *Zacarias: o profeta da esperança*, p. 97.

[10] CALVIN, John. *The Twelve Minor Phophets*. Vol. XIV, p. 411.

[11] PHILLIPS, Richard D. *Zacarias*, p. 301.

[12] BALDWIN, J. G. *Ageu, Zacarias e Malaquias: introdução e comentário*, p. 171.

[13] PHILLIPS, Richard D. *Zacarias*, p. 302.

[14] Ibidem.

[15] Ibidem, p. 303.

[16] BALDWIN, J. G. *Ageu, Zacarias e Malaquias: introdução e comentário*, p. 171.

[17] PHILLIPS, Richard D. *Zacarias*, p. 301.

Capítulo 22

A queda dos inimigos de Deus
e a exaltação do Seu povo
(Zc 14.12-21)

A CENA QUE ZACARIAS pinta no final de sua profecia é semelhante àquela contemplada por João na ilha de Patmos, quando foi chamado para ver a queda da grande Babilônia, a Grande Meretriz, que perseguiu a noiva do Cordeiro (Ap 17.1), e, em seguida, foi chamado para contemplar a Noiva, a esposa do Cordeiro (Ap 21.9-11). Na mesma medida em que o mundo é julgado, a igreja é exaltada. Andrew Hill está correto, portanto, quando diz que há uma geral concordância sobre a natureza apocalíptica do capítulo 14 de Zacarias.[1]

Na mesma proporção em que os ímpios sofrem penalidade de eterna destruição, os santos entram na glória.

Nessa mesma linha de pensamento, Phillips diz que a última profecia de Zacarias começa com uma visão da segunda vinda de Cristo (14.1-11) para, em seguida, acrescentar a realidade do juízo sobre os inimigos de Deus. [2]

O justo julgamento dos inimigos de Deus e do Seu povo (14.12-15)

C. F. Keil diz que, para expressar a ideia de sua total destruição, unem-se todos os tipos diferentes de pragas e ataques pelos quais as nações são destruídas.[3]

Vamos destacar a seguir quatro fatos dramáticos.

Em primeiro lugar, corpos apodrecidos (14.12). *Esta será a praga com que o SENHOR ferirá a todos os povos que guerrearem contra Jerusalém: a sua carne se apodrecerá, estando eles de pé, apodrecer-se-lhes-ão os olhos nas suas órbitas, e lhes apodrecerá a língua na boca.* Baldwin diz corretamente que a praga e o pânico subsequente são do Senhor. Causas secundárias não estão excluídas.[4] É que chegou o dia do julgamento de Deus. Aqueles que pareciam fortes tornam--se cadáveres ambulantes, cegos e mudos. Os olhos que cobiçaram as riquezas de Jerusalém ficam cegos. As línguas que blasfemaram contra Deus apodrecem. Os inimigos que atacaram Jerusalém viram corpos apodrecidos. A vitória de Deus sobre Seus inimigos é total, completa e definitiva.

Em segundo lugar, confusão autodestruidora (14.13). *Naquele dia, também haverá da parte do SENHOR grande confusão entre eles; cada um agarrará a mão do seu próximo, cada um levantará a mão contra o seu próximo.* O pânico aqui se torna tão grande que, no afã de fugir do terror do juízo divino, eles se matam mutuamente (11.9; Ag 2.22). Foi assim que Deus derrotou os exércitos de Midiã por meio de Gideão (Jz 7.22). Foi assim que Jônatas venceu os filisteus

A queda dos inimigos de Deus e a exaltação do Seu povo

(1Sm 14.15-20). Foi assim que o rei Josafá viu os soldados de Amom e Moabe destruir os edomitas (2Cr 20.23). Thomas V. Moore observa que essa figura de ímpios ferindo uns aos outros é um retrato apropriado do inferno, pois no inferno haverá ódio em sua forma mais cruel e detestável.[5]

Em terceiro lugar, perda de riquezas (14.14). *Também Judá pelejará em Jerusalém; e se ajuntarão as riquezas de todas as nações circunvizinhas, ouro, prata e vestes em grande abundância.* A *English Standard Version* traduz: *até os homens de Judá lutarão contra Jerusalém*. Porém, essa versão está em desacordo com o contexto do livramento e da bênção do povo de Deus. Certamente, o texto faz uma referência não à discórdia entre o povo, mas à unidade do povo de Deus. Phillips diz, com razão, que o verdadeiro terror para o ímpio encontra-se na declaração: *... e se ajuntarão as riquezas de todas as nações...* Para os inimigos de Deus, significa que tudo em que eles confiaram, tudo o que amaram, tudo sobre o que colocaram seu coração neste mundo será tirado deles no juízo. Eles serão despojados de todos os confortos e alegrias terrenos com que entorpeceram sua sensibilidade espiritual nesta vida. A terrível ironia para eles é que é a igreja, que nem sequer buscou esses tesouros, quem recebe as riquezas que eles amaram.[6]

Em quarto lugar, perda dos instrumentos de força (14.15). *Como esta praga, assim será a praga dos cavalos, dos mulos, dos camelos, dos jumentos e de todos os animais que estiverem naqueles arraiais.* Deus destrói não apenas os agentes do mal, mas também os instrumentos que eles usaram para oprimir o povo de Deus. Nas palavras de Baldwin, *ninguém consegue escapar ao julgamento, a não ser escolhendo o caminho da conversão* (12.10).[7]

O reino soberano de Cristo (14.16-19)

A interpretação literal dessa passagem enfrenta algumas dificuldades intransponíveis. Aqueles que a subscrevem terão de admitir que o templo será reconstruído em Jerusalém e que os sacrifícios judaicos serão restabelecidos, bem como suas festas. Uma volta, porém, aos sacrifícios e às festas judaicas não seria um avanço, mas um retrocesso impensável na história da redenção. Tudo isso era sombra da realidade que veio em Cristo (Hb 10.1). O sacrifício de Cristo na cruz foi único, perfeito e cabal. O que aguardamos agora é a segunda vinda de Cristo (Hb 9.28). Voltar, portanto, às sombras, depois de ter chegado à realidade, é dar marcha à ré.

Merrill F. Unger argumenta, entretanto, que, das sete festas judaicas (Lv 13), a Festa dos Tabernáculos é a única que ainda não se cumpriu. A Páscoa cumpriu-se com a morte de Cristo (1Co 5.7; Jo 1.29). As Primícias, com sua ressurreição (1Co 15.23). A Festa das Semanas dos Pães Asmos está se cumprindo com a igreja hoje, à medida que os cristãos andam em santidade (1Co 5.6-8). A Festa de Pentecostes cumpriu-se em Atos 2 e a Festa das Trombetas se cumprirá na segunda vinda de Cristo (Mt 24.29-31). O Dia da Expiação será cumprido quando a nação vir o seu Messias, se arrepender e for purificada (Ap 1.7). A Festa dos Tabernáculos, porém, prenuncia a alegria e a abundância da era do reino.[8] Embora esse respeitado erudito bíblico mereça nossos efusivos encômios, entendemos que, nesse particular, a interpretação literal da passagem ainda teria a dificuldade de explicar a volta dos rituais de purificação do templo, com as ofertas de sacrifícios (14.21). Portanto, firmamos nossa convicção de que todas as festas e todos os sacrifícios veterotestamentários se cumpriram em Cristo.

A queda dos inimigos de Deus e a exaltação do Seu povo

A mensagem central da epístola aos Hebreus é que Jesus é melhor do que os profetas, melhor do que os anjos, melhor do que Moisés, melhor do que Arão, melhor do que Josué. O sacrifício que Cristo ofereceu é melhor do que os sacrifícios judaicos. A nova aliança no sangue de Cristo é superior à velha aliança. A ordem de Melquisedeque, da qual Cristo é Sumo Sacerdote, é superior à ordem levítica. Temos Cristo, e Ele nos basta.

Podemos ver essa mesma centralidade da pessoa de Cristo no livro de Zacarias, um dos livros mais cristocêntricos do Antigo Testamento. No capítulo 1, Ele aparece entre as murteiras. No capítulo 2, veio como o arquiteto da obra restauradora de Deus. No capítulo 3, aparece tirando as vestes manchadas do sumo sacerdote. No capítulo 4, apresenta as duas oliveiras, para falar sobre a união da linhagem sacerdotal com a real. No capítulo 6, é retratado com a entronização do sumo sacerdote. Os capítulos 7 e 8 proclamam o dia de festa para encerrar o jejum. No capítulo 9, Ele vem como humilde rei montado num jumentinho. No capítulo 10, é a pedra angular. No capítulo 11, é o bom pastor, rejeitado pelo rebanho. No capítulo 12, é traspassado. No capítulo 13, fala-se da fonte que dEle jorra. No capítulo 14, encontramos Sua segunda vinda em glória.[9]

Ainda mais, as descrições do capítulo 14 de Zacarias adequam-se perfeitamente à descrição de Apocalipse acerca do estado final e eterno do céu. Zacarias 14.6,7 fala sobre uma mudança na ordem da natureza, e Apocalipse 21 e 22, sobre a Nova Jerusalém descendo do céu e Deus armando o Seu tabernáculo com os homens (Ap 21.2,3). Penso que Phillips tem razão ao dizer que esse capítulo descreve não um hiato milenar da Jerusalém terrena, mas o fim em glória, na *cidade que tem fundamentos, da qual Deus é o arquiteto e edificador* (Hb 11.10).[10]

Voltemos à exposição da passagem em tela, para destacar alguns pontos importantes.

Em primeiro lugar, o reconhecimento de que só o Senhor é Deus (14.16). *Todos os que restarem de todas as nações que vierem contra Jerusalém subirão de ano em ano para adorar o Rei, o SENHOR dos Exércitos, e para celebrar a Festa dos Tabernáculos.* Por entender que Zacarias está falando sobre o tempo do fim, reforçamos nosso entendimento de que essa passagem não deve ser interpretada de forma literal, uma vez que não encontramos base bíblica para um retorno ao judaísmo, com suas festas e sacrifícios, depois da morte e ressurreição de Cristo. Tudo isso era sombra da realidade que chegou em Cristo. O que essa passagem está dizendo é que, no Reino de Deus, os gentios serão integrados na aliança, para adorarem o Rei, o Senhor dos Exércitos. De acordo com Phillips, esses versículos mostram a soberania do reinado de Cristo como Rei, à medida que Ele recebe louvor universal.[11]

Em segundo lugar, o juízo para aqueles que se recusarem a reconhecer a soberania do Senhor (14.17-19). Assim escreve Zacarias:

> *Se alguma das famílias da terra não subir a Jerusalém, para adorar o Rei, o SENHOR dos Exércitos, não virá sobre ela a chuva. Se a família dos egípcios não subir, nem vier, não cairá sobre eles a chuva; virá a praga com que o SENHOR ferirá as nações que não subirem a celebrar a Festa dos Tabernáculos. Este será o castigo dos egípcios e o castigo de todas as nações que não subirem a celebrar a Festa dos Tabernáculos* (14.17-19).

O mundo está dividido em apenas dois grupos: os que adoram ao Senhor e aqueles que não O adoram. Estes sofrerão todas as penalidades de sua impenitência. Nas palavras de Baldwin: "Qualquer nação que não cultuar a Deus sofrerá grande desastre".[12] A retenção das chuvas foi a manifestação do juízo de Deus nos dias do profeta Elias (1Rs 17—18). Como o Egito é regado pelo rio Nilo, a ausência de chuvas poderia não afetá-lo como afetaria outras nações. Por isso, além da seca, vem aos egípcios a praga que ferirá as nações. O versículo 19 deixa claro que todas as nações que não celebrarem as festas do Senhor serão punidas. Concordo com Phillips quando ele diz que esses versículos cumprem o que foi profetizado sobre o Filho de Deus em Salmo 2.8: *Pede-me, e eu te darei as nações por herança e as extremidades da terra por tua possessão.*[13]

O reino da santidade (14.20,21)

F. B. Meyer diz que a santidade representa três coisas: separação do pecado e da impropriedade, devoção ao serviço de Deus e crescente semelhança a Ele, consequência necessária de tê-Lo recebido como o Todo-poderoso ocupante do coração.[14] Então, a primeira coisa que temos aqui é a abolição da distinção entre o sacro e o secular. A santidade não está apenas na vida dos sacerdotes, no templo, nos objetos sagrados e nos rituais religiosos, mas também nas campainhas dos cavalos e nos utensílios domésticos. Tudo é vazado pelo sagrado.

Trafegamos do templo para o campo ou do altar para a cozinha com a mesma devoção. Toda a nossa vida é cúltica. Comemos, bebemos e fazemos as demais coisas em nome de Cristo e para a glória de Deus (Cl 3.17; 1Co 10.31).

Concordo com F. B. Meyer quando ele diz que o cavalariço com seus cavalos, a serva com os utensílios do seu serviço doméstico, o escrivão com sua caneta, o mecânico com sua ferramenta, o guia com seu bordão, o artista com sua câmara, todos podem perceber que essas palavras místicas estão gravadas em sua fronte e no seu instrumento de labor. E cada um de nós, ao entrar na oficina de sua vida, pode sentir que está servindo a Deus aí tanto quanto se estivesse entrando num templo santo e sendo chamado para ministrar diante do altar de Deus.[15] Como disse David Baron, o quadro é de uma santidade total e completa: na esfera da vida pública, retratada pelos sinetes dos cavalos nas ruas; na vida religiosa, mostrada pelas panelas do templo do Senhor; e, finalmente, na vida particular e doméstica, que será completamente santificada a Deus, até as vasilhas e panelas mais insignificantes.[16]

Destacamos a seguir quatro pontos importantes.

Em primeiro lugar, os aparelhos dos cavalos (14.20a). *Naquele dia, será gravado nas campainhas dos cavalos: Santo ao Senhor...* "Santo ao Senhor" era inscrito na plaqueta de ouro que o sumo sacerdote usava no seu turbante (Êx 28.36) como expressão e lembrança da sua consagração. Também isso significa que todo o Israel deveria ser santo (Êx 19.6; Jr 2.3). Aqui a santidade caracterizará também os animais, além das pessoas.[17] Os cavalos eram associados ao orgulho e pompa dos reis e lembravam o braço carnal. O salmista diz: *Uns confiam em carros, outros, em cavalos; nós, porém, nos gloriaremos em o nome do Senhor, nosso Deus* (Sl 20.7). Mas agora a SANTIDADE AO SENHOR está gravada nas campainhas dos cavalos.

Concordo com F. B. Meyer quando ele diz que o mesmo se dá com a recreação. Não é errado praticar esportes que desenvolvem os músculos e expandem os pulmões, ou procurar os passatempos de sua idade e de seus companheiros, contanto que você possa escrever naquele bastão e naquela

A queda dos inimigos de Deus e a exaltação do Seu povo

bola, na raquete de tênis e no piano, no remo e no barco, no patim e no trenó, as palavras do frontispício do sumo sacerdote: SANTIDADE AO SENHOR. A mesma regra se aplica ao gozo da natureza, da arte, da música, das obras formosas, quer esculpidas quer entalhadas, quer fotografadas quer pintadas.[18]

Em segundo lugar, as panelas do templo (14.20b). ... *e as panelas da Casa do SENHOR serão como as bacias diante do altar*. As panelas na Casa do Senhor são utensílios usados pelos peregrinos para cozinhar a carne dos sacrifícios destinados a eles (Lv 7.15-18; Ez 46.21-24). Os caldeirões usados para cozinhar serão tão santos como as bacias usadas para aspergir o sangue dos sacrifícios sobre o altar.

Em terceiro lugar, as panelas de Jerusalém e Judá (14.21a). *Sim, todas as panelas em Jerusalém e Judá serão santas ao SENHOR dos Exércitos; todos os que oferecerem sacrifícios virão, lançarão mão delas e nelas cozerão a carne do sacrifício...* Não haverá distinção entre coisas sagradas e seculares, e assim não haverá falta de utensílios para uso no templo.[19] Feinberg diz corretamente que onde predomina a santidade é desnecessária a santidade cerimonial.[20] F. B. Meyer complementa que deve haver uma elevação de toda a vida ao nível de nossos momentos sacros e religiosos. Não é que o santuário e seus utensílios devam ser abolidos; mas que todos os outros lugares e objetos se tornem oratórios para as preces e santuário para o culto sagrado. É assim que habitaremos na Casa do Senhor todos os dias da nossa vida.[21]

Em quarto lugar, não haverá mais mercador ou cananeu na casa de Deus (14.21b). ... *Naquele dia, já não haverá mercador na Casa do SENHOR dos Exércitos*. A palavra "mercador" aqui é, literalmente, "cananeu". Esse termo se refere ao povo incrédulo que Deus condenou e destruiu quando

Israel entrou na terra prometida. Baldwin, porém, diz que nesse contexto a palavra não se aplica a uma nacionalidade específica, mas aos que tiram lucros extraordinários dos que vêm para adorar.[22] Concordo com Phillips quando ele conclui: "O que Zacarias está dizendo é que o céu será completamente santo. É isto que o reinado de Cristo alcança: santidade produzindo louvor a Deus e bênção para o Seu povo".[23]

NOTAS

[1] HILL, Andrew E. *Haggai, Zechariah and Malachi*, p. 257.

[2] PHILLIPS, Richard D. *Zacarias*, p. 306.

[3] KEIL, F. C.; DELITZSCH, F. *Commentary on the Old Testament.* Vol. 10, p. 624.

[4] BALDWIN, J. G. *Ageu, Zacarias e Malaquias: introdução e comentário*, p. 172.

[5] MOORE, T. V. *Zechariah & Malachi*, p. 310.

[6] PHILLIPS, Richard D. *Zacarias*, p. 308.

[7] BALDWIN, J. G. *Ageu, Zacarias e Malaquias: introdução e comentário*, p. 173.

[8] UNGER, Merrill F. *Commentary on Zechariah.* Grand Rapids, MI: Zondervan, 1963, p. 265-266.

[9] PHILLIPS, Richard D. *Zacarias*, p. 312.

[10] Ibidem, p. 311.

[11] Phillips, Richard D. *Zacarias*, p. 310.

[12] Baldwin, J. G. *Ageu, Zacarias e Malaquias: introdução e comentário*, p. 174.

[13] Phillips, Richard D. *Zacarias*, p. 310.

[14] Meyer, F. B. *Zacarias: o profeta da esperança*, p. 103.

[15] Ibidem, p. 106.

[16] Baron, David. *The Visions and prophecies of Zechariah*, p. 531.

[17] Baldwin, J. G. *Ageu, Zacarias e Malaquias: introdução e comentário*, p. 174.

[18] Meyer, F. B. *Zacarias: o profeta da esperança*, p. 107.

[19] Baldwin, J. G. *Ageu, Zacarias e Malaquias: introdução e comentário*, p. 175.

[20] Feinberg, Charles L. *Os profetas menores*, p. 328.

[21] Meyer, F. B. *Zacarias: o profeta da esperança*, p. 108.

[22] Baldwin, J. G. *Ageu, Zacarias e Malaquias: introdução e comentário*, p. 175.

[23] Phillips, Richard D. *Zacarias*, p. 314.

Sua opinião é importante para nós.
Por gentileza, envie seus
comentários pelo e-mail
editorial@hagnos.com.br

Visite nosso site:
www.hagnos.com.br

Esta obra foi impressa na
Imprensa da Fé.
São Paulo, Brasil.
Inverno de 2021.